—»52«—

MANERAS DE

AYUDAR A

TUS HIJOS A

VENCER EL MIEDO

y sentirse seguros

52
MANERAS DE
AYUDAR A
TUS HIJOS A
VENCER EL MIEDO
y sentirse seguros

Jan Dargatz

BETANIA

© 1995 EDITORIAL CARIBE
Una división de Thomas Nelson
P.O. Box 141000
Nashville, TN 37214-1000, EE.UU.

Título del original en inglés:
52 Ways to Help Your Kids Deal with Fear and Feel Secure
© 1994 *Jan Dargatz*
Publicado por *Oliver Nelson Books*,
una división de *Thomas Nelson, Inc.*

Traductora: *Leticia Guardiola*

ISBN: 0-88113-354-X

Impreso en EE.UU.
Printed in U.S.A.

E-mail: caribe@editorialcaribe.com
3ª Impresión

A papá
con gratitud,
porque siempre
me has hecho sentir seguro
en tu amor
y
me has enseñado siempre a poner
mi confianza máxima en
nuestro Padre celestial.

(Contenido

Respuestas a preguntas que los niños hacen

☾ Introducción: El mundo puede ser a veces un lugar pavoroso

El mundo infantil es de experimentación, de poner a prueba barreras y de explorar potenciales.

El proceso es muy parecido al que se usa en una clase de química.

¿Recuerdas el procedimiento usado para examinar sustancias desconocidas? El resultado positivo de la prueba te conduce en cierta dirección. Haces más pruebas. Finalmente, lo desconocido se convierte en una sustancia conocida (suponiendo que todas las pruebas conducen a resultados exactos); en el transcurso, tú, el científico, descubres ciertos principios acerca de la química. Lo mismo sucede en la vida.

Sin embargo, la diferencia entre las clases de química y la vida es que esta resulta con frecuencia más temible y los principios son a veces mucho más vagos.

Muchos adultos le temen a lo desconocido, aun y cuando saben que sus miedos son irracionales. Imagina ese mismo mundo desconocido desde la perspectiva de un niño. A veces las incógnitas de la vida son emocionantes. Otras veces resultan comunes. Pero en ocasiones nos hacen sentir miedo.

Además, desde la perspectiva infantil, casi todas las cosas del mundo son desconocidas. Un niño comienza desde cero cuando aprende el funcionamiento de las cosas, las normas, los protocolos apropiados, los comportamientos autorizados en ciertas ocasiones, quién es el que manda y qué cosas deben tratarse positiva o negativamente.

Como adultos, tenemos la tendencia de menospreciar el miedo del niño.

No es nada, le decimos. Sin embargo, para el pequeño sí es algo.

No es real, le decimos. Pero sí lo es para el niño.

Esto te servirá para crecer, le decimos. Es cierto, pero sólo con la información que se adquiera de forma didáctica o con la experiencia. Los tres mejores antídotos contra el miedo son:

1. Información.
2. Experiencia gradual. Esta es controlada y en un principio se puede clasificar como «menos amenazadora», para moverse gradualmente, paso a paso, hacia una clasificación de «la más amenazadora».
3. La presencia de un aliado.

La mayoría de las ideas que se encuentran en este libro tienen el objetivo de aliviar el miedo de los pequeños y ayudarles a sentir más seguridad, dándoles información o proveyéndoles experiencias seguras, guiadas y graduales.

Pero antes de pasar a ellas, he aquí una breve explicación de los cuatro aspectos que con mayor probabilidad proveerán un fuerte sentido de seguridad para tu hijo.

1 ☾ Tu presencia

Eres lo más real que tu hijo conoce. Aun un bebé, por pequeño que sea, conoce ciertos aspectos de los adultos amorosos que lo alimentan, lo protegen y lo visten:

- Su apariencia, aun en sombras o en la penumbra

- Los sonidos de sus voces

- El olor de sus cuerpos y perfumes, jabones o talcos que usan

- El contacto de sus manos y brazos

Presencia física Suponiendo que el adulto tiene una relación cariñosa de niño adulto para con el pequeño, este asocia la presencia física de ese adulto con la seguridad, provisión y fuerzas que necesita para compensar su inseguridad, debilidad y carencia.

Mientras más estrecha sea esta relación del adulto con el niño, más conocerá en ese adulto sus:

- estados de ánimo.

- gustos y aversiones.

- formas de expresar placer y dolor.

- valores que sostiene como absolutos.

El niño descubre cómo hacer reír al adulto, captar su atención y mostrarse afectivo. Prueba los límites de la paciencia y creencias del adulto para asegurarse que están intactas. Se complace en saber que permanece consecuente, previsible y sobre todo disponible.

¿Cómo puedes ayudar a tu hijo a sentirse seguro?

Personalmente disponible Puedes ayudarle al estar presente en su vida, no sólo de manera física, sino también emocional y mentalmente:

- Presente para resolver dudas

- Presente para responder a sus expresiones de emoción

- Presente para escuchar sus ideas, preocupaciones y problemas

El niño que trae un raspón en la rodilla y que viene corriendo hacia mamá o papá es porque los considera un refugio. El hecho de que vaya hacia ellos nos dice los considera un refugio. El hecho de que el beso de mamá o el abrazo de papá puede «curarlo», prueban que los ve como una presencia sanadora y reconfortante.

El mismo mecanismo opera cuando un niño busca a mamá o papá, o a cualquier otro adulto cariñoso después de un recital de piano, al final del día escolar o antes de iniciar un partido de fútbol.

El niño que encuentra a mamá o papá, con disposición y ánimo de ser encontrados, es un niño que se siente seguro.

Lo más importante que puedes hacer para ayudar a tu hijo a que se sienta seguro en un mundo pavoroso es estar a su lado cuando te necesita, y estar allí aun cuando piense que no te necesita.

2 ☾ Tu contacto

Tu hijo necesita sentirte y que lo toques.

Una necesidad permanente ¡Observa a un pequeño en acción! Obsérvalo mientras explora a los adultos en quienes está aprendiendo a confiar y amar. Les aplasta la nariz, les mete el dedo en los ojos, les hala las orejas, se acurruca junto a ellos, les da codazos y los sondea hasta que está completamente convencido de que conoce el sentir y los límites de sus refugios.

A cambio, el niño balbucea cuando se le acaricia, se ríe cuando lo cargan y se relaja plácidamente cuando lo abrazan (aunque sea por unos minutos antes de que comience a explorar algo nuevo). Así es como aprende que el toque de una mano y el contacto de unos brazos significan comodidad, ternura, amor y seguridad.

Los toques de un adulto cariñoso, sus besos y abrazos vienen a formar parte de lo primeros recuerdos del bebé. La necesidad de muestras de amor y seguridad nunca se termina de llenar.

Afecto activo Tu pequeño se siente más seguro cuando:

- tomas su mano mientras caminas con él en medio de una multitud.

- le pasas un brazo por sus hombros al estar de pie en medio de una habitación llena de gente desconocida.

- le das un pequeño golpecito en la carita cuando está preocupado o triste.

- lo sientas en tu regazo cuando está enfermo.

- lo tienes junto a ti para darle la seguridad que necesita.

- le sostienes su carita en tus manos para averiguar por qué llora.

- le das una palmadita en la espalda o en el hombro cuando se despiden.

- le acoges (después de alguna ausencia) con un abrazo, un beso o un apretón de manos.

Tu toque afectivo le dice a tu hijo: «Esta persona es alguien con la que estoy conectada y con la que me siento seguro».

El lugar más seguro que un niño conoce es el regazo de un adulto que lo ama y que lo estrecha firmemente entre sus brazos.

3 ☾ Tu voz

Un niño pequeño puede escuchar la voz o el silbido de un adulto que ama:

- en medio de la noche más oscura

- por encima del estruendo de una tormenta.

- en una ruidosa habitación llena de gente.

- por sobre la algarabía de un parque de diversiones.

- a cientos de metros de distancia en un lugar desolado.

- en medio de la oscuridad de un estado comatoso.

Si no tienes un silbido peculiar y distinto para con tu hijo, quizá sería bueno que inventaras uno. Un silbido puede servir para llamar a un niño en una manera especial que no lo puede hacer la voz cuando está perdido, o a punto de perderse,

Habla con tu hijo con un tono de voz calmado, seguro y cariñoso, especialmente cuando:

- da muestras de preocupación.

- se ve temeroso.

- se siente angustiado porque tiene que separarse de tu lado.

- se encuentra en medio de un peligro.

La mejor manera de alejar el pánico de un niño, y la parálisis que a veces trae como resultado, es hablándole de manera firme, tierna y directa.

Usa el nombre de tu hijo Habla con tu hijo usando su nombre. Menciónalo cuando oren juntos. Dale un beso al acostarlo y dile buenas noches, usando su nombre. Llámalo por su nombre.

Canta también Cántale a tu hijo, aunque no tengas la voz más maravillosa del mundo. Tu hijo valorará las canciones que le entonas. Tus suaves canciones para hacerle dormir harán del país de los sueños un lugar seguro al cual podrá viajar. Componle una canción sólo para él.

Habla a través de la distancia El niño que llega a conocer y valorar la voz de un adulto tierno recibe consuelo e importancia de las llamadas de larga distancia. Cuando estés lejos, asegúrate de llamar a tu hijo frecuente y regularmente con la clase de frecuencia y regularidad que sean significativas para él. El sonido de tu voz le ayudará a sentirse más seguro, aun cuando estás físicamente a cientos de kilómetros. Sabrá que conoces su paradero y que es lo suficientemente importante para ti como para mantenerte en comunicación con él.

Tu voz *es* el sonido de seguridad para tu hijo.

4 ☾ Tu guía

Una madre, un padre o un tutor amoroso es el maestro número uno de un niño. Tu hijo habrá de imitar tu comportamiento, aun cuando no quieras que lo haga, de manera que asegúrate de hacer lo que quieres que él haga.

Instrucción directa Tu instrucción directa puede ayudar a tu hijo a sentir seguridad en seis maneras.

1. *Responde a sus preguntas* Dedica tiempo para responder a las preguntas sinceras de tu hijo, de la manera más completa que desea que se las respondas (él te dejará saber si le estás dando demasiada información: perderá interés en lo que le dices. Te hará saber si le dices muy poco: te hará otra pregunta). Preguntando es la manera en que los pequeños aprenden cómo funciona su mundo y qué significan las cosas.

2. *Establece claramente lo que quieres* Este consejo se aplica especialmente en lo que concierne al comportamiento del niño. No le digas solamente: «Compórtate bien». Establece comportamientos específicos: «Siéntate aquí y no estés hablando», o «Toma dos

galletas y luego ve afuera a comerlas». Tu hijo se sentirá mucho más seguro en situaciones sociales si le dejas saber con anticipación cuál es el comportamiento apropiado que se espera de él, y cuál es el comportamiento indicado por el cual se le castigará.

3. *Dale varias opciones* No le preguntes a tu hijo: «¿Qué quieres comer?» Las opciones son demasiadas como para que un niño las pueda abarcar. Se sentirá más seguro si le preguntas: «¿Quieres comer un emparedado de pollo o prefieres uno de mantequilla de maní?» Los niños quieren límites entre los cuales moverse y tomar decisiones.

4. *Hazle algunas sugerencias* Dale a tu hijo algunas ideas de qué decir o qué hacer. «Así es como hago nuevas amistades» es un buen consejo que le ayudará a sentirse seguro al ir por primera vez al jardín de infantes o a la escuela primaria. Si van de visita a una iglesia que no le es familiar quizá quieras sugerirle: «mientras estás aquí tranquilito sentado en la iglesia, por qué no te pones a observar los vitrales. Fíjate bien a ver qué ves». Tu hijo se sentirá más cómodo en su nuevo ambiente si tiene una idea o dos respecto a lo que puede hacer.

5. *Dale un adelanto de lo que vendrá* Déjale saber a tu hijo lo que puede esperar, las reglas que se van a seguir, y el protocolo que debe observar. Aunque sólo se trate de ir al supermercado, dale una idea de cuánto tiempo van a estar ahí, qué vas a com-

prar (y a no comprar), y qué puede hacer para ayudarte en el proceso. Dile qué puede esperar ahora que tendrá que ir a la escuela, formar parte de un nuevo grupo, jugar con un nuevo equipo, competir o hacer alguna presentación por primera vez. Mientras más le dejes saber lo que puede esperar que suceda, más seguro y confiado se sentirá al enfrentar un nuevo ambiente, un nuevo grupo o un nuevo procedimiento.

6. *Sé preciso en tus instrucciones* No le ofrezcas el consejo A o la expectativa A un día, y luego le des algo completamente diferente al día siguiente. Si descubres que te equivocaste en la información que le habías dado, reconoce el error y dale la información correcta tan pronto como sea posible.

Paciencia Sé paciente al darle instrucciones a tu hijo. Quizá tendrás que decir las cosas de nuevo, explicar algo de nuevo o responder a una pregunta otra vez. Si tu hijo está constantemente preguntando o pidiendo más detalles, quizá te está enviando una señal de que no está muy seguro de lo que quieres, de lo que es apropiado o de lo que significa: si ese es el caso, quiere decir que se siente inseguro.

Asegúrale que habrás de responder a sus preguntas o darle consejos lo mejor que puedas, pero que a veces cometes errores. Si resulta que ese es el caso, admite tu error y discúlpate. Si no lo haces, lo único que lograrás será aumentar su sentido de inseguridad, pues creerá que ha fracasado por razones que no comprende.

5 ☾ La luz

A la mayoría de los niños la oscuridad... les causa pavor, ¡y a casi todos los adultos también! Desde las primeras historias que nos contaron y que contamos a nuestros hijos, la oscuridad es el lugar donde abunda la maldad, donde viven los monstruos y donde mora el peligro.

El antídoto para la oscuridad, por supuesto, es la luz.

Los monstruos son alérgicos a la luz; algo por el estilo es lo que dice el consejo paterno. El peligro se puede reconocer cuando el área está iluminada.

Una lámpara nocturna Una lamparita nocturna en el cuarto de un niño, en el pasillo de una casa, o en el cuarto de baño que él usa puede darle la seguridad de encontrar el camino aun en medio de la oscuridad.

Una linterna Todos los pequeños, después de los cinco años de edad, deberían tener una linterna de su propiedad. Esta es una herramienta indispensable al lidiar con las imágenes y miedos de la oscuridad, ya sea en medio de un campamento o en su habitación. Dale permiso a tu hijo para que la use dónde y cuándo lo desee.

Control sobre las luces

No insistas en que todas las luces deben estar apagadas si tu hijo te pide que dejes alguna encendida. En todo caso podrás apagarlas después de que se haya dormido. Ponle una lamparita cerca de su cama de manera que pueda encenderla si la necesita.

Si tu hijo llega de la escuela para encontrarse con una casa totalmente sola, dale permiso para que encienda todas las luces que quiera. Las luces harán que se sienta más seguro al estar solo en casa y que se le levante el ánimo. (Enciende todas las luces que puedas en los días lluviosos. Todo el mundo se sentirá un poco más contento.)

Asegúrate de que tu casa tenga suficiente luz afuera, quizá sea bueno tener reflectores y una adecuada luz en la entrada principal, y en la vereda. Si tu hijo está solo en casa, debes darle permiso para que encienda las luces exteriores tan pronto comience a anochecer.

Excursiones en la oscuridad

De vez en cuando da un paseo con tu hijo en la noche. Puede ser alrededor de la cuadra de tu vecindario (siempre y cuando sea seguro hacerlo y no haya peligros). También podría ser una caminata entre el bosque a la luz de la luna. Deja que experimente la magia y misterio de los sonidos y sombras de la noche.

6 ☾ Los objetos familiares

Todos sabemos el valor que los niños dan a sus mantitas. La de tu hijo quizá no sea una manta en sí, posiblemente sea algún juguete, un animalito de peluche, o algún otro objeto que le represente tranquilidad, hogar y seguridad. Permítele llevar ese objeto con él cuando tenga que enfrentarse a un nuevo ambiente.

A medida que tu hijo vaya creciendo, por supuesto, probablemente cambiará sus sentimientos de seguridad hacia otros objetos más pequeños, o de tiempo en tiempo hacia varios objetos. Quizá querrá tener algo que pueda llevar en su billetera. Es posible que sea una prenda de vestir que le sea familiar, como una bufanda o un sombrero.

Fotos Hasta lo niños pequeñitos disfrutan con tener una cartera de su propiedad con tarjetas y fotos. Dale a tu hijo una fotografía tuya que pueda enmarcar y poner en su cuarto (o que pueda llevar consigo en su maleta cuando vaya de campamento). ¿Qué tal si eliges una foto en la cual lo estés cargando o jugando con él?

Un regalo especial En algunos casos, una pieza de joyería, como un collar, un brazalete, o un anillo que pueda llevar puesto prácticamente la mayor parte del tiempo, puede ser una expresión tangible del amor de mamá o papá, aun a través del tiempo y del espacio. Esa pieza de joyería puede ser un verdadero símbolo para un niño de que alguien en la tierra se interesa por él, y de que ese alguien está constantemente preocupado por él. Dale a tu hijo algo que sea significativo y no necesariamente costoso. De esa manera, si lo pierde, no se sentirá como si hubiera violado el amor que estaba detrás del regalo.

Almohada y manta Cuando viajes con un niño pequeño, lleva también contigo su almohada y su mantica. Se sentirá más seguro en una cama extraña y en un cuarto de hotel desconocido, y hasta se sentirá como en casa cuando esté en el asiento de un avión.

Ideas para mudanzas Si te vas a mudar a una nueva casa o te vas a cambiar de ciudad, llévate algo de la vieja casa o del vecindario como un recuerdo de los buenos tiempos que tuviste allí. Puede ser un pedazo de papel tapiz o una piedra del jardín. Si así lo quieres, puedes preparar una caja de zapatos que contenga esos objetos y ponerle una etiqueta que diga «cápsula de tiempo del pasado». Incluye fotos de la casa vieja (exterior e interior), de los vecinos y de la ciudad. Elige objetos que tengan alguna historia. Es posible que quieras llevar algunas semillas o algunas ramitas de arbustos de la vieja casa para trasplantarlas a la nueva. Esas acciones le dan a tu hijo un sentido de continuidad con el pasado y un sentimiento de creciente seguridad de que en el nuevo lugar pronto habrá de sentirse como en casa.

7 ☾ Las palabras de alegría

Sin duda, todos sabemos alguna canción con un mensaje alegre. Pero a veces tendemos a olvidar que las canciones y palabras de alegría que nos dedicamos a nosotros mismos verdaderamente *pueden* influir en nuestro nivel de ánimo y confianza.

No apagues el deseo de tu hijo de hablar consigo mismo. ¡Anímalo! Es más, estimúlalo a inventar historias y diálogos acerca de cosas felices que tengan que ver con personas agradables, con héroes fuertes y valientes, y que terminen con finales felices.

Canciones   Enséñale a tu hijo canciones alegres que lo haga sonreír. Incluye cantos de alabanza y coros espirituales que hablen de la soberanía de Dios, de su poder y de su omnipresencia.

Las rimas disparatadas y los trabalenguas también pueden distraer la atención del niño lejos de lo que le causa miedo o inquietud.

Impulsor de ánimo   Insta a tu hijo a estimularse con palabras positivas de aliento. Escucha con atención la forma en que habla consigo mismo cuando está jugando en el patio. Si comete algún error o si se cae ¿dice: «Tonto», o «Jamás lo lograré»? O ¿dice: «La próxima vez lo haré bien», o «debo intentarlo de nuevo»?

No siempre estarás cerca para aplaudirlo. Prepáralo para que sea su propio vitoreador.

El valor de la alabanza   Las alabanzas no son propiedad exclusiva de los adultos. Los niños también pueden elevar su voz de alabanza. Enséñale a tu hijo todos los nombres y atributos de Dios que te sea posible. Enséñale a responder ante sus preocupaciones, miedos, y momentos de crisis, diciendo: «Señor, confío en ti porque eres mi_____ (*nombre o atributo de Dios*)». Practiquen las alabanzas en los buenos tiempos de modo que las palabras estén listas en los labios de tu hijo cuando le ataquen los problemas.

8 ☾ El poder sobre los monstruos

Los niños hoy en día se encuentran bombardeados con monstruos, duendes, espíritus y otras espantosas criaturas. Si lo dudas, revisa la sección infantil en la biblioteca de tu localidad, los programas de televisión de los sábados por la mañana o una tienda de juguetes infantiles. Las criaturas imaginarias abundan, y muchas de ellas hacen el papel de malos en las historietas, en los cuentos y en las historias de aventuras en las cuales ellos son las estrellas.

Además de tener que lidiar con estos monstruos, los niños frecuentemente fantasean con lo desconocido y le dan caras y sonidos. Con frecuencia atribuyen las sombras misteriosas o los sucesos extraños a los monstruos o a las criaturas malignas.

Hechos importantes Los padres deben reconocer tres hechos importantes acerca de los monstruos y la relación que los niños tienen con ellos:

Primero, para los preescolares, los monstruos y las criaturas imaginarias tienden a ser «reales». Los niños menores de cuatro años tienen una habilidad escasamente desarrollada para diferenciar entre la realidad y la fantasía.

Segundo, la mayoría de los niños tienen una vida de sueño bastante activa, y tienden a soñar acerca de lo que ven y experimentan durante el día.

Tercero, los niños tienden a responder emocional y rápidamente a la realidad de su mundo.

Ideas para ayudar a tu hijo a enfrentar el miedo ¿Cuál debe ser entonces la acción sabia que debes tomar para ayudar a tu hijo a lidiar con los monstruos? He aquí algunas ideas:

Limita sus excursiones fantásticas Apaga el televisor cuando pasen programas de misterio y terror. Cuando sea posible revisa los libros, caricaturas y revistas de historietas antes de que tu hijo las vea. Observa sus reacciones a las historias que ve o escucha. Si muestra un miedo genuino, toma cartas en el asunto, ya sea para detener la historia o para ofrecer una palabra de tranquilidad. Al limitar el contacto y exposición con cosas extrañas, misteriosas y horrorosas le evitas pesadillas.

Habla acerca de los monstruos con él Discute especialmente tus sentimientos respecto a las cosas que te causan miedo. Es posible que tu pequeño hijo no esté convencido de que los monstruos no son reales, pero puede estar convencido de que tú no les tienes miedo. Cuéntale lo que haces cuando estás atemorizado o sientes que no tienes control sobre alguna situación. Cuando se trata de monstruos, es más importante que tu hijo aprenda a lidiar con su miedo que con la diferencia entre la realidad y la fantasía.

Ayúdalo a que se sienta fuerte Un niño que se siente fuerte es un niño que se siente más seguro. Dejar una luz encendida algunas veces sirve para darle valor; enseñarle una canción o ciertas palabras le darán una herramienta que podrá usar antes de que el pánico lo ataque.

Ayúdale a desarrollar la habilidad de cambiar lo desconocido en algo conocido Enseña a tu hijo a distinguir los hechos de la ficción; por ejemplo, cómo saber lo que causa una sombra, cómo saber de dónde viene un ruido o cómo identificar formas extrañas en la oscuridad. Haz de la exploración de lo desconocido una aventura. Al mismo tiempo, ayúdale a discernir qué razones lo deben alarmar.

Nunca te burles de tu hijo porque le tenga miedo a los monstruos Tranquilízalo. No le ofrezcas lógica cuando lo que realmente necesita es un abrazo. Habrá suficiente tiempo para darle explicaciones o consejos a medida que crezca.

9 ☽ Instrucciones claras

Uno de los mejores aliados que puede tener tu hijo en contra del miedo es la información.

Impulsor de valentía Los niños se sienten inseguros y temerosos cuando no saben qué hacer, a dónde ir, exactamente cómo comportarse o qué esperar. Arma a tu hijo con hechos, razones e instrucciones.

Dale instrucciones claras Presenta tus instrucciones y recomendaciones de manera sencilla y precisa. Usa oraciones imperativas, no preguntas. Por ejemplo, dile: «Asegúrate de limpiar tus zapatos sobre la esterilla antes de entrar a la casa de abuelita», en lugar de: «Bueno, ¿te vas a acordar que te dije que limpiaras tus zapatos antes de entrar a casa de abuelita, verdad?»

Pídele que te repita las instrucciones o recomendaciones que le acabas de dar Pídeselo de manera amable: «Bueno... veamos si la capitana Belinda entendió bien las órdenes de la misión que tiene que cumplir. ¿Cuál es su misión, capitana Belinda?

Enumera tus instrucciones o recomendaciones   Dile: «Quiero que hagas tres cosas. Número uno, tiende tu cama. Número dos, pon tu ropa sucia en el canasto de la ropa. Y número tres, vacía en el basurero el cesto de papeles de tu cuarto. Limita tus instrucciones a tres o cuatro cosas. Un niño no puede retener muchas cosas a una misma vez. Siempre que te sea posible, usa un acróstico, una rima, una canción o un cuadro para ayudarle a recordar la información clave.

Búscale un mapa, y asegúrate de que sepa leerlo   No sólo le digas a tu hijo dónde se encuentran los baños en el piso inferior del auditorio, sino dibújale un pequeño mapa de cómo llegar hasta allá. Pídele que verbalmente haga contigo el recorrido por el mapa.

Pon palabras en su boca, o al menos asegúrate de ponerlas en su mente   No le digas: «Dale las gracias a nuestros anfitriones». En lugar de eso dile: «Ahora es el momento de decirle al señor Pérez: «Gracias por su invitación. Me agradó estar con ustedes».

Anticipa los resultados   Ensaya con tu hijo las respuestas apropiadas en situaciones que puedan resultar nuevas o extrañas para él. Anticipen juntos qué puede decir en caso de que gane o de que pierda. Discute con él qué debe decir cuando salude a los invitados a su fiesta, cuando los reciba en la puerta o cuando abra los regalos; qué decirle a la niña que se porta agresiva en el patio de juegos o qué decir cuando el maestro le pregunta algo y no sabe qué responder.

10 ❨ Una puerta de escape

Cada lugar, y prácticamente cada situación extraña o desagradable en esta vida, tiene una puerta de escape. Enséñale a tu hijo este principio brindándole varios ejemplos. Un niño que tiene confianza en lo que debe hacer en una emergencia es uno que tiene más valor cuando sucede la emergencia.

Acción rápida Resáltale la importancia de tomar una acción rápida en una emergencia. Lo primordial debe ser abandonar la escena. «¡Sal de allí y pide ayuda!», es una buena táctica que puedes enseñarle a tu hijo. Mientras más pronto identifique una emergencia, más oportunidades tendrá de sobrevivir.

Rutas de escape de emergencia Tu hijo debe saber cómo:

- salir de casa en caso de incendio.

- salir de su escuela en caso de incendio u otra amenaza.

- encontrar la salida de emergencia en un avión, barco o tren.

Dibújale un mapa de la casa con un plan de escape. Ensaya un simulacro de incendio en casa. Discutan qué rutas tomar en caso de que ciertas salidas estén bloqueadas. Conversa con tu hijo sobre la importancia de salir de casa rápidamente sin detenerse a buscar cosas de valor o mascotas. Enséñale cómo caminar o arrastrarse por el piso para evitar inhalar el humo en caso de incendio. Explícale la importancia de *no* regresar a una casa o edificio que está en llamas o lleno de humo, *no importa para qué o por qué.*

Instruye a tu hijo sobre cómo hablarse a sí mismo en caso de que comience a sentir pánico: «Repítete una y otra vez: "camina, camina, camina"»; qué decir a otros que también puedan estar experimentando pánico: «Diles calmadamente y muchas veces: "tranquilos. Sigan avanzando. Tranquilos. No se detengan"».

Puertas de salida claramente identificadas   Cuando te encuentres en edificios o vehículos, estadios o parques de diversiones, muéstrale constantemente los letreros de «Salida». Instrúyelo para que busque esos letreros como primer paso instintivo en caso de emergencia.

Cuando te encuentres en un elevador con tu hijo, dile lo que harías en caso de que se quedara parado, indícale dónde está el botón de emergencia y explícale el propósito de que haya un teléfono en el elevador.

«Escapes» sociales   Tu hijo debe tener la libertad de salir de situaciones sociales peligrosas o extrañas, que pueden ser tan dañinas para su mente como lo es una emergencia física para su cuerpo.

Tu hijo no tiene por qué aguantar insultos, ridiculización, abuso verbal o ataques a su persona (incluyendo raza, religión y sexo) de nadie. Asegúrate de que entienda la diferencia entre disciplina y ataques personales. Un ataque personal es aquel que intenta destruir su autoestima e identidad de acuerdo a sus características personales, no en cuanto a su comportamiento. Una cosa es que el entrenador le diga: «Se te está cayendo la pelota de las manos. No vuelvas a dejar que te suceda. Haz lo siguiente para evitarlo». Y otra muy diferente es que le diga: «Eres un torpe y no vales nada como jugador». La primera frase es parte de un buen entrenamiento. La segunda es un ataque personal innecesario.

Igual que en el caso de peligro físico, tu hijo debe alejarse de una situación de crisis sicológica o emocional tan pronto como se dé cuenta de lo que sucede, y tan rápido y calmadamente como le sea posible.

11 ☾ Aprobar la comodidad

Dale permiso a tu hijo de estar cómodo. Se sentirá mucho más seguro en cualquier situación.

Comodidad en el vestir Vístelo de tal forma que le permitas libertad de movimiento. Aun la ropa «elegante» puede ser amplia y fácil de poner. Considera al niño que le dicen: «No manches ni arrugues la ropa, pero diviértete». Es simplemente imposible. Deja que se manche la ropa en el transcurso normal de sus juegos. Da por sentado que la ropa se arrugará. Busca ropa que resista muchas puestas y lavadas.

Si tu hijo está preocupado por la ropa que habrá de vestir o si se siente incómodo con lo que lleva puesto, no es posible que pueda sentirse seguro en determinada situación. Al sentirse menos seguro es posible que cometa más errores, que le habrán de causar precisamente los accidentes que estabas tratando de evitarle.

Libertad para comportarse dentro de los límites Dale a tu hijo los patrones de comportamiento, y después déjalo que se sienta libre dentro de esos límites. Mientras más libertad de comportamiento le permitas dentro de sus límites, más seguro se sentirá prácticamente en cualquier medio. Sabrá que está bien ser humano y ser él mismo, sin importar quién más esté presente.

Por ejemplo, señala un área del cuarto, del patio o del parque en que tu hijo puede jugar, luego déjalo que juegue dentro de ese espacio. Quizá debas insistir en que tu hijo esté tranquilo durante una reunión, pero dale la libertad de pensar, soñar, dibujar, colorear, leer, armar rompecabezas o jugar, pero sin hacer mucho ruido. Quizá tengas que insistir en que se quede cerca de ti en una banca de la iglesia, pero entonces dale la libertad de jugar con rompecabezas relacionados con la Biblia, o que vea los dibujos de su Biblia infantil (o que la lea), que mire los vitrales del templo, o que se acurruque y se duerma.

Si tu niño puede ver mejor parándose en una silla (y no estorba la visibilidad de la persona sentada detrás), déjalo que se quite los zapatos y se pare en la silla. Mientras más participe de una actividad, menos se aburrirá.

Incidentes naturales No castigues a tu hijo por comportamientos físicos naturales tales como bostezar, estornudar o toser. El niño que sospeche que lo van a castigar por hacer cualquier ruido estará extremadamente incómodo durante una actividad y asociará el dolor y la incomodidad con tal ocasión.

12 ☾ Sentirse bien

El niño que se siente excluido estará inseguro y constantemente en guardia contra los insultos y bromas de los demás. Haz lo que esté de tu parte para que tu hijo se acople bien entre sus compañeros.

Uso de ropa adecuada No necesitas comprar ropa de marca elegante o de moda, sólo debes ayudalor a vestir dentro de los límites de los estilos actuales y de las tendencias que más prevalecen. Elige diseños clásicos cuando sea posible: estarán de moda año tras año.

Equípalo con lo necesario Además, no necesitas comprar lo más exorbitante para tu hijo, pero debes asegurarte de que tenga lo que necesita, como útiles escolares, dinero para la comida, mochila para cargar los libros y equipo necesario para las prácticas después de clases.

Soluciona sus imperfecciones Si tu hijo necesita un nuevo corte de pelo, o quizá uno más manejable, llévalo a un lugar profesional. Si necesita lentes, cómpraselos. Si necesita aparatos ortodónticos para enderezar sus dientes, haz lo mejor que puedas para proveérselos también. Su apariencia está directamente relacionada con su autoestima.

Enséñale buenos modales   Los buenos modales son apropiados en todo momento y con todo el mundo. Enséñale a tu hijo cómo decir «por favor», «gracias», «lo siento», «discúlpeme» y «con permiso», no sólo a las figuras de autoridad sino también a los familiares y a sus amistades.

Fórmale un círculo de amistades   Forma un círculo de amistades para tu hijo; haz un esfuerzo para lograrlo. Invita a sus amiguitos a casa para comer, o pasar la noche, o alguna fiesta o a pasear. Conoce a los amiguitos de tu hijo y deja que te conozcan como una madre o un padre amistoso. Si no te preocupas por elegir las amistades de tu hijo, te será más difícil contrarrestar la influencia de los amigos que elija.

Pasa tiempo con tu hijo y sus amigos. Observa cómo interactúa con ellos. Si necesitas ayudarlo con las habilidades sociales o de comunicación, hazlo. Aconséjale qué decir o qué hacer sin ridiculizarlo o manipular sus amistades.

Reconoce que tu hijo siempre se sentirá más seguro en una fiesta, actividad social o de otra clase si está con una amistad. A un niño solo lo pueden molestar los demás; dos niños rara vez correrán esa suerte, y si les pasa, se tienen el uno al otro como confidentes.

13 ☾ Análisis de la realidad

Puesto que gran parte de lo que ocasiona el sentimiento de inseguridad o miedo en el niño es ilusorio, aunque para él sea real, la madre o el padre puede enseñarle a distinguir los hechos de la ficción y el peligro real del imaginario.

Discute «historias» Mira la televisión y las películas con tu hijo. Discute después qué fue lo real y qué no lo fue. Si tienes la oportunidad de llevarlo a un recorrido por un estudio de filmación, hazlo. Sin duda muchos niños podrán decir lo que un joven turista dijo: «Es increíble cómo nos hacen creer que esto es real».

Control de la realidad Puedes ayudar a tu hijo a discernir si algo es real o ilusión enseñándole a hacer exámenes sencillos.

¿Se mueve? Las hilachas de la alfombra quizás puedan parecer una araña. Observa bien si se mueve. Si lo hace, y de una manera normal, es con seguridad un objeto viviente. Pero si no lo hace o si se lo lleva el viento, es probablemente un objeto inanimado. *¿Tiene un patrón regular que se repite?* Los ruidos en

casa serán irregulares. Los pasos por el contrario son rítmicos. Las persianas exteriores o las ramas de los árboles golpearán contra la casa de manera caprichosa durante una tormenta. Una persona que toca a la ventana lo hará de manera regular.

El comportamiento humano tiende a ser constante en una u otra dirección (para bien o para mal) por un largo período. Enséñale a tu hijo a observar esas tendencias persistentes. A alguien que regularmente es desagradable y que de repente se vuelve «agradable» se debe ver con sospecha. A una persona agradable que sin provocación alguna de pronto se vuelve «agresiva» también se le debe aproximar con cautela.

¿Proyecta alguna sombra? La sombras no proyectan sombras. Los monstruos no tienen sombra. Si es real, habrá de proyectar una sombra (si está oscuro, proyectará sombra cuando se dirija una luz hacia ese objeto).

¿Es verdad o mentira?

También puedes ayudar a tu hijo a determinar de modo simple si alguien dice la verdad o miente.

¿Puede verificarse? La Biblia establece que la verdad se establece por dos o tres testigos. Busca a alguien más que diga la misma historia con los mismos detalles sobre tiempo, espacio, apariencia, acciones y/o secuencia. La pregunta que se debe hacer es: «¿Quién más puede decirme algo sobre esto?»

¿Hay alguna amenaza de por medio? Los abusadores con frecuencia dicen a sus víctimas: «No le digas

a nadie. Si lo haces, te voy a maltratar (o a hacer daño a otra persona)». Enséñale a tu hijo que esa amenaza es una señal segura de que se trata de una mentira. La verdad es que el niño *ya* ha sido lastimado con una amenaza como esa, y *debe* decir lo sucedido para que se pueda detener al ofensor. Asegúrale a tu hijo que la mejor manera de defenderse contra un ofensor es que te cuente que alguien lo está amenazando con hacerle daño.

Pregunta: «¿Por qué me dices esto?» Si tu hijo sospecha que alguien está tratando de manipularlo, de contarle chismes o de engañarlo, esta es una de las mejores preguntas que puede hacer. Si no está satisfecho con la respuesta, debe pedir más pruebas. Si la información es verdadera, valiosa y los motivos de quien le está contando son puros, la persona que quiere contarle algo dará respuestas razonables que serán por el bien de quien le escucha.

14 ☾ Llaves y cerraduras

Tu hijo se sentirá más seguro si sabe que puede encerrarse para dejar a otros fuera de su mundo, ya sea su recámara, un diario, el cuarto de baño, la casa u otros posibles lugares, y que puede tener acceso en su mundo cuando así lo quiera. Las cerraduras y las llaves son una fuente de seguridad para los hijos.

La razón para las cerraduras Tu hijo aprenderá que las cerraduras son para mantener a la gente fuera de un lugar (seguramente te habrá visto usarlas para dejarlo fuera de tu habitación o del cuarto de baño). Es seguro que tu hijo tratará de dejarte encerrado en algunas ocasiones, y darse gusto al hacerlo. Una madre siempre debe llevar consigo las llaves de la casa, para asegurarse de que siempre tendrá acceso a la casa y al cuarto de su hijo.

Enséñale que las cerraduras dentro de la casa son para seguridad contra el peligro, y que los letreros son para privacidad. Dale a tu hijo un letrero que diga: «Favor de no molestar», para la puerta de su cuarto. Respétalo cuando esté puesto. De esta manera se sentirá seguro en su espacio sin tener que usar el cerrojo.

Habilidades para también quitar el cerrojo Enséñale a tu niño desde temprana edad cómo *abrir* ciertos objetos, especialmente una puerta del automóvil, del cuarto de baño, del baño público o una ventana. Tales habilidades podrían ser importantes para la seguridad de tu hijo y hasta quizá para su supervivencia en caso de una emergencia (asegúrate, por supuesto, que sepa que jamás debe quitar el seguro o abrir la puerta de un carro cuando está en movimiento).

Enséñale cómo usar las llaves, y déjalo que practique su manejo. A los niños les fascina el privilegio de abrir puertas, objetos y cerraduras con código de botones.

Escondites abiertos A los niños de todas las edades les encanta esconderse: debajo de una mantas, en un armario empotrado, bajo la cama y, desafortunadamente, en algunos lugares en los que sin darse cuenta pueden quedar encerrados. Asegúrate de que no haya refrigeradores ni congeladores vacíos por algún lado de tu vecindario, y si los hay, mira que no tengan tiradores para que ningún niño quede encerrado. Lo mismo se aplica para baúles o valijas grandes que tienen cerradura.

Una llave para la casa Seguramente no querrás que tu hijo cargue una llave de la casa, pero debes dejarle saber dónde hay una llave disponible (quizá en la casa de la vecina) de modo que pueda entrar si no te encuentras en ese momento. El quedarse afuera sin llaves para entrar, automáticamente resulta en un sentimiento de inseguridad y miedo. Enseña a tu hijo a devolver la llave inmediatamente después de que la haya usado, para que esté en su puesto en caso de que se necesite en el futuro.

15 ⊂ Cursos de defensa personal

Los cursos de defensa personal pueden ser verdaderos forjadores de carácter y valor para los niños que le temen a un ataque personal.

Busca un programa que esté:

- adecuado al nivel de la edad de tu hijo. Ser el grandulón del vecindario puede preocuparle a un niño de seis años. No es necesario mencionar algo respecto a tácticas sobre pandillas ni estadísticas sobre violación, durante una reunión para adultos.

- enfocado a desarrollar habilidades. Seguro querrás que tu hijo esté bien enseñado más que informado. Un niño se siente con valor cuando sabe qué hacer y cuando ha triunfado en una práctica de las técnicas aprendidas.

- orientado a la defensa. Pregunta al instructor del curso acerca de su filosofía. ¿Son las técnicas que se enseñan medidas defensivas, o el maestro está deseando crear pequeños guerreros?

Revisa los videos Explora la tienda de alquiler de videos de tu localidad en busca de algunos programas que enseñen defensa personal para niños. Algunos de los videos son tácticas para enfrentarse verbalmente y lidiar con ofensores o violadores; otros son historias que muestran comportamientos apropiados de los pequeños al enfrentarse a los grandulones del grupo o a los adultos enemigos (la mayoría de estos últimos son videos de programas especiales de televisión hechos para ser vistos después de clases). Cuando intentes enseñar habilidades a tu hijo, evita los videos de defensa personal al estilo de Hollywood, tales como la película *Solo en casa*. Estas imágenes pueden ser divertidas, pero son irreales en la preparación de tu hijo para las verdaderas emergencias.

¿Karate y Tae Kwon Do? Si estás considerando llevar a tu hijo a algún curso de defensa personal, asegúrate de preguntar al instructor acerca de cualquier matiz religioso que se pretenda dar dentro del curso. La mayoría de las técnicas orientales de defensa están basadas en una filosofía de vida particular de esa técnica. El instructor de algún curso puede ver esa filosofía como una religión y enseñarle como tal inadvertida o conscientemente. Debes estar al tanto de dicha filosofía.

Cuando ese esquema sistemático y organizado de defensa personal se enseña como curso de habilidades, sin ningún matiz religioso, puede dar a un niño suficiente valor y confianza, especialmente para enfrentarse a sus compañeros brabucones.

«Corre y grita»   Quizás el mecanismo de defensa personal más sencillo que le puedes enseñar a tu hijo es a «correr y gritar». Si tu niño sospecha que rutinaria y sistemáticamente es vigilado o perseguido, o si se le acerca alguien con alguna intención que parece maliciosa o alguna oferta que parece demasiado buena para ser cierta, debe correr lejos, tan rápido como le sea posible y gritar mientras corre: «Auxilio, auxilio, un extraño me persigue». Debe correr hacia algún grupo de personas o donde halla gente, como un supermercado.

16 ☾ «Soy tu defensor»

Constantemente asegúrale a tu hijo que siempre serás su amigo número uno, su protector número uno y su admirador número uno.

Por supuesto, esto no significa, que lo habrás de solapar por sus decisiones voluntariosas que puedan causar daño a la propiedad ajena o a alguna persona, por excusar su mal comportamiento, o mentir por él.

Una defensa adecuada Significa que:

- lo defenderás contra aquellos que traten de hacerle daño. En algunos casos le ayudarás a defenderse. En otros casos irás al juzgado por él, confrontarás a sus ofensores o te levantarás a luchar por sus derechos como ser humano inocente.

- no permitirás que esté en situaciones de abuso ni lo forzarás a asociarse con los que quieran abusar de él. Un niño debe saber que si es maltratado, estarás de su parte y lo alejarás de su ofensor.

- siempre buscarás su bien. Lo mejor para tu

niño puede incluir una disciplina difícil y quizás hasta el castigo, pero hazle saber que tu
intención es siempre ayudarlo para que crezca
siendo un adolescente y un adulto amable, ho-
nesto, confiable, cariñoso, y generoso. Al casti-
garlo lo que en realidad haces es evitarle mayores
castigos en el futuro.

Combate de niño a niño   Lo niños pelean
con frecuencia. Las riñas verbales, los «yo primero», y las peleas por territorio y derechos son parte
normal del crecimiento. No puedes vacunar a tu
hijo contra la posibilidad de un ojo morado. Tampoco puedes rescatarlo siempre a tal punto que te
vea constantemente como su sostén.

Si sorprendes a tu hijo en una pelea, intervén y
sepáralo. Ve al fondo del desacuerdo de manera
calmada. Si no es posible hacerlo, deja la escena
junto con tu hijo.

Como madre o padre tienes el derecho de establecer las normas dentro de tu casa que le expli-
quen a tu niño que:

- ambos contrincantes en una pelea serán cas-
tigados, sin importar quién comenzó. Déjale
claro que las peleas no son una manera apropiada de resolver los problemas (esto puede
también incluir peleas verbales: gritos, insultos, empujones, portazos y cosas por el estilo). De esta manera, el niño que pelea en el
jardín puede que no reciba castigo en la riña,
pero de regreso a casa lo tendrá.

- a ambas partes se deberá enfrentar cara a cara en calmada discusión respecto al problema.

- ambas partes deberán disculparse entre sí por perturbar la paz del hogar.

Observa los patrones en las peleas de tu hijo. Si parece que siempre está defendiendo la misma causa o desahogándose de las mismas irritaciones, habla con él respecto al asunto.

Si sus peleas parecieran estar relacionadas siempre con la misma persona, habla con los padres del otro niño acerca de las reglas que has establecido respecto a las peleas en tu casa, y sugiéreles que se reúnan con las niños para que establezcan su situación de manera razonable, que se sienten y lo discutan. Si los otros padres no están dispuestos a poner en claro las querellas entre los niños en esta forma, ayuda al tuyo a encontrar una nueva amistad.

17 ☾ El equipo adecuado

Equipo externo A veces, buscarle a tu hijo el equipo adecuado o seguro es lo mejor que puedes hacer para ayudarlo a sentirse seguro. He aquí algunos ejemplos:

- Ruedas laterales para la bicicleta.

- Flotadores para la piscina.

- Salvavidas para el bote.

- Brújula y mapa para las caminatas.

- Malla antimosquitos, o repelente contra insectos en el campamento.

- Inflador de llantas para la bicicleta.

El equipo adecuado puede ser una marca roja en la ventana del cuarto de tu hijo (como señal para las brigadas de emergencia de que un niño vive en esa habitación), una tarjeta de identificación para la cartera, o una pulsera médica si tu niño es diabético.

El equipo correcto no necesariamente tiene que ver con la seguridad personal, sino con la seguridad de la propiedad o la habilidad de tener acceso a un lugar o persona:

- Un par de botas para cubrir los zapatos nuevos.

- Un sello en el anverso de la mano para permitir la reentrada.

- Un paraguas de su propiedad para llevar en la lluvia.

- Un candado de combinación para usar en la bicicleta.

Equipo interno El equipo correcto para una situación podría ser preparación o información, en vez de algo tangible. Por ejemplo, el equipo adecuado puede ser:

- lecciones. Un niño que va por primera vez a un baile se sentirá mucho más seguro si mamá o papá ya le han enseñado varios pasos de baile o lo han enviado a una escuela para tal fin.

- experiencia. Un niño siempre se sentirá más seguro cuando va a un lugar o intenta una actividad por segunda vez.

- práctica. Un niño siempre se sentirá más seguro haciendo algo que ha practicado repetidamente a solas.

Tanto el equipo exterior como el interior son herramientas que pueden ayudar a tu hijo a sentir valor en una situación determinada. Ofrécele de todo lo que te sea posible.

18 ☾ Puedes lograrlo

Tu hijo se sentirá mucho más seguro en una situación dada si le das seguridad en la misma.

Miedos paternos   Si estás nervioso porque tu hijo esté en el lado profundo de la piscina, él se angustiará más.

Si estás tenso pensando cómo habrán de recibir a tu hijo en la fiesta, él estará más reacio a asistir.

Si estás nervioso de sólo pensar en que tu hijo va a estar en la plataforma frente a todo el mundo, él estará mucho más propenso al temor escénico.

Si te retuerces las manos ante la idea de que tu hijo se suba a un avión, es posible que le trasmitas el temor de volar aun antes de que el avión despegue.

Confianza paterna   Dile a tu hijo que tienes confianza en que él cuenta con lo necesario para sobrevivir el desafío, para solucionar la crisis y para salir saludable, íntegro y más fuerte que nunca.

Aun antes de que lleves a tu hijo a la escuela el primer día de clases, dile: «Sé que tienes capacidad para hacer esto. Se requiere mucho valor, y tú lo tienes».

Cuando lleves a tu hijo a su primer recital de piano, dile: «Haz lo mejor que puedas. Diviértete. Sé que practicaste bastante. Sé que conoces las melodías. Y creo que vas a salir triunfante».

Los sí y no paternos   No digas a tu hijo que ganará el primer lugar. Dile que estarás allí como su admirador número uno.

No le digas que no es posible que cometa errores. Dile que lo estarás aplaudiendo y que crees en sus habilidades.

No le ofrezcas recompensarlo si triunfa. Dile que lo amas, y que lo vas a amar antes, durante y después de la ocasión con el mismo amor de siempre.

No rebajes a otros niños u otros equipos. Más bien pon a tu hijo por las nubes como el jugador más especial del campo de juego ante tu ojos.

Sé el admirador número uno de tu hijo, el más entusiasta de los vitoreadores y su más fiel aliado. Se sentirá con mucho más valor cuando enfrente un nuevo desafío o llegue el gran momento.

19 ☾ ¿Y si me caigo?

Debido a que el miedo a caerse es fundamental en la mente del ser humano, es probable que no haya mucho que puedas hacer racionalmente hablando para convencer a tu hijo de que no se caerá o de que no puede caerse.

Por otra parte, puedes hacer mucho asegurándole que sobrevivirá si se cae o diciéndole que no se caerá sin que lo adviertas o te importe.

Sosténlo con mano firme Manténte cerca de tu hijo para sostener su mano o su cuerpo a medida que experimenta nuevas experiencias con el balance de su cuerpo, ya sea que esté dando sus primeros pasos, caminando por el borde de la acera, poniéndose los patines o montando una bicicleta por primera vez.

Cambia gradualmente Si tu hijo tiene miedo a las alturas, ayúdalo a lograrlo poco a poco. Quizás pueda comenzar caminando por el borde de la acera antes de caminar cerca de la orilla de una plataforma de un metro de altura.

Cae con él Salta a la piscina junto con tu pequeño. Móntate en la montaña rusa con él de modo que pueda ver cómo reaccionas a la experiencia del vacío. Si participas en un juego en el que caerse es parte del proceso, hazlo junto con tu niño.

No lo fuerces   No insistas en que tu niño salte de lugares altos. Si tiene miedo de estar muy cerca del borde de una piscina, de un balcón o de algún lugar saliente, déjalo que se retire y vea el mundo desde un lugar más distante. Se acercará cuando tenga confianza y se sienta seguro. Nunca te burles o hagas bromas por su miedo a caerse.

Enséñale a caer   Esto es especialmente importante en situaciones y juegos en los cuales las caídas son inevitables y hasta esperadas, como al jugar fútbol, patinar sobre hielo, esquiar, o lanzarse a segunda base. Enséñale a saltar, a rodar, a brincar de una bicicleta sin hacerse daño y a deslizarse de lado para detenerse. Enséñale a caminar sobre el hielo y a relajarse si se comienza a caer.

Enséñale a levantarse   Después de una caída, lo mejor que una persona puede hacer es permanecer inmóvil por algunos momentos. Luego es bueno tomar un par de respiraciones profundas. Despojarse suavemente de cualquier tipo de equipo que se traiga puesto (para evitar más daño al cuerpo, a la ropa o al equipo), y hacer un recuento de las heridas. Aplicar presión directa sobre cualquier herida que esté sangrando. Es importante levantarse lentamente para evitar cualquier posibilidad de desvanecimiento. Repito, no sólo describe el proceso, sino muéstraselo.

Diviértete en un trampolín   Los trampolines están hechos para caerse al igual que para saltar. Deja que tu hijo aprenda varios saltos y caídas de trampolín bajo la supervisión de un instructor calificado. Es posible que llegue a ver las caídas como algo divertido.

Explica la diferencia entre caer y saltar
Enséñale a tu hijo la diferencia entre caerse y saltar voluntariamente. Cualquiera se puede caer y a todo el mundo le sucede. Sin embargo, elegir saltar es un acto de voluntad. Se debe enseñar a los niños a no saltar a algo que no haya experimentado ni examinado primero a nivel del piso. Las superficies rara vez son suaves, o el agua tan profunda, como parece desde una posición alta. Los obstáculos ocultos o las superficies duras pueden transformar un salto divertido en un accidente sangriento y paralizador.

Por otra parte, un resbalón accidental, un traspiés o un tropezón no es una falta. Jamás se deben dar apodos como «enclenque», «torpe» o «tonto». Una caída es un accidente, y es normal; sin embargo, deben evitarse. Ayuda a tu hijo a aprender de sus caídas no intencionales para reducir la incidencia y los resultados de otras futuras.

20 ☾ ¿Y si me pierdo?

Esta pregunta regularmente la hace un niño cuando se enfrenta a un nuevo ambiente: una escuela, una iglesia, un campo de juego, un bosque o un campamento.

Algunas veces la pregunta está implícita y no se hace directamente. Por ejemplo, un niño puede mostrar un comportamiento poco independiente o duda a decir «adiós». En ese momento realmente está pensando: *¿Y si te pierdes y no puedes regresar a buscarme? ¿Y si me quedo aquí para siempre sin ti?*

La solución para ambas situaciones es la misma: Exploren el área juntos.

Una nueva escuela o iglesia Camina por los pasillos con tu hijo. Exploren diferentes lugares. Muéstrale ciertas marcas, que sea improbable que cambien de sitio, que lo ayuden a orientarse y que pueda verlas aunque los pasillo estén completamente llenos de gente. Muéstrale dónde estarás en relación al lugar en el que él estará. Recorran juntos el camino que lo conecta. Se sentirá mucho más seguro sabiendo que puede localizarte en caso de emergencia, y de que sabes dónde está él.

El mejor momento para explorar una área es antes del hecho en el que estarán separados tú y tu hijo. Es posible que quieras visitar junto con tu hijo la nueva escuela varias veces durante los meses de verano, de modo que él se familiarice con los edificios.

En el parque o en el centro comercial

Enséñale a tu hijo con anticipación qué hacer en caso de que se lleguen a separar, ya sea en un bosque o en una tienda por departamentos. Lo mejor que puede hacer es *dejar de moverse*. Mientras más camine o corra, es más probable que se aleje de ti o de los que lo están buscando. Quizá hasta sea bueno sugerirle que se quede sentado.

Si tu hijo se sienta en una tienda por departamentos hay más probabilidades de que alguno de los empleados le pregunte qué está haciendo. Cuando eso suceda, aconséjale que diga: «Estoy perdido, ¿podría por favor llamar a mi mamá o a mi papá?» Enséñale a dar *tu* nombre al empleado o al guardia de seguridad. Asegúrate de que sabe tu nombre y apellido. Enséñale a que nunca deje el área o salga de la tienda con alguien; dile que siga a la persona que tenga una identificación como empleado sólo hasta donde pueda ver que hay más gente presente.

Lo que puede hacer a continuación es *escuchar con atención* el sonido de tu voz o las del grupo con el que estaba. Muchos niños tienden a llorar o sollozar, y el sonido de su voz no les permite escuchar los sonidos de los demás. Si tu hijo escucha una voz, debe llamarte en la dirección en que vino la voz.

Déjame buscarte   Asegúrale que vas a echar de menos su presencia casi al mismo tiempo en que ella se dé cuenta de que está perdida, y que harás lo mejor de tu parte por encontrarla. Dile: «si nos llegáramos a separar, déjame buscarte. Lo mejor que puedes hacer es quedarte donde estás. Yo puedo ver mucho más lejos que tú. Es probable que yo te vea antes de que tú a mí».

Objetos perdidos   Antes de que pongas el pie en una área grande, tal como un parque de diversiones, prepara un plan de emergencias. Dile a tu hijo a dónde ir en caso de que se separen y que no puedan encontrarse a cierta hora (deja un margen de demora). Por lo regular el sitio de encuentro puede ser la entrada principal o la oficina de objetos perdidos del parque, del centro comercial o del edificio. Insiste de nuevo en que no salga del área.

21 ◖ ¿Y si no estás ahí a tiempo?

Evita parte del pánico Los pequeños tienden a alarmarse, o a portarse malcriados, si mamá o papá no aparecen a la hora acordada. Ayuda a tu hijo a lidiar con tus tardanzas ocasionales.

Dale un reloj y enséñale cómo leer la hora A veces los minutos parecen horas para un niño. Un reloj puede ayudarlo a ver cuán tarde se te ha hecho, o si no es demasiado tarde.

Establece un período de gracia Predetermina un cierto margen de tiempo en el que tu hijo deba esperar pacientemente antes de concluir que tú no habrás de llegar. Un período de gracia de diez o quince minutos te ayudará en ocasiones cuando pareciera que los semáforos no actúan a tu favor.

Establece el lugar donde tu hijo debe esperarte Si no quieres que tu hijo se siente a esperarte en la parada del bus, o que esté parado solo afuera en la oscuridad, dale instrucciones específicas acerca del lugar donde debe esperarte.

Sugiere actividades de espera Enséñale a aprovechar al máximo esos diez o quince minutos de espera, leyendo, haciendo una lista de los deberes que tie-

ne que cumplir, comenzando a escribir un ensayo
o un cuento o estudiando un poquito las matemáticas. De esta manera puede volver productivo un
tiempo de espera. Los minutos le pasarán más rápido y tendrá menos oportunidad de preocuparse
a causa de tu ausencia.

Ten un plan de emergencia Asegúrate de que tu hijo
siempre tenga dinero para hacer por lo menos dos
llamadas telefónicas, y de que sepa los números de
memoria para llamarte en caso de que no aparez-
cas. Determina a las personas a quienes deba llamar. Mira bien que los dos estén de acuerdo en lo
que él deberá y lo que no deberá hacer.

Si tu hijo tiene que desviarse del plan que habían
trazado por cierta razón (por ejemplo, porque tu
pareja intervino), debes darle instrucciones para que
te llame y te deje un mensaje tan pronto como le sea
posible.

Desarrolla un hábito de rapidez   Haz
de la tardanza la excepción, no la regla. Tu hijo
debe ser capaz de contar con tu presencia y tu lle-
gada a un cierto horario predeterminado. El niño
que nunca sabe cuándo llegará su padre o su madre con seguridad se siente inseguro, y pronto buscará actividades alternas para llenar el tiempo de
espera con que cuenta.

22 ❨ ¿Y si se ríen de mí y me insultan?

A todo niño le ha pasado alguna vez que se rían de él, o que cierto grupo lo insulte en un momento determinado, en una situación específica o por alguna razón.

Explicaciones útiles Si tu hijo es lo suficientemente mayorcito como para entender estas razones, cuéntale que:

- la gente a veces se ríe de los demás porque se siente insegura. Tratan de menospreciar a los demás para elevarse a sí mismos.

- la gente a veces se ríe de los demás, porque están mal informados. La mayoría de las burlas o apodos por raza, habilidades para aprender, religión o diferencias culturales están basadas en la intolerancia; es el caso típico de estar mal informado acerca del valor de todos los seres humanos.

- las personas a veces se burlan de otras porque en realidad lo que están tratando de hacer es de conocer a determinada persona. Poner apodos puede ser un tipo de broma para ver cómo es una persona, cómo reacciona o sencillamente para llamar su atención.

Consejos útiles   Estas razones pueden darle alguna tranquilidad a tu hijo mayor, pero la ayuda real será el consejo acerca de qué hacer. Dile: «Ríete también. Búrlate de ti mismo usando un apodo aun mayor y más gracioso del que te pusieron».

Si se están riendo de tu apariencia, diles: «¡Tendrían qué haber visto como yo mismo me reí esta mañana cuando me miré al espejo!» Si te están llamando «loco», déjales saber que prefieres que te llamen «¡capitán en jefe de la división de locos de los Papanetas Anónimos, cuarta subsección de la orden de Locos Internacionales Unidos!»

Es muy difícil para una persona burlarse de alguien que está dispuesto a reírse de sí mismo o divertirse a sus costillas. Alguien así resulta en realidad muy atractivo, es la clase de persona que la mayoría de la gente prefiere como amiga, no como objeto de mofa.

Por otra parte, la persona que se molesta o que responde también con insultos de su parte está dispuesta a entrar en pelea o se está exponiendo a ser el blanco de más burlas.

El niño pequeño   Es difícil que un niño con menos de cinco años tenga las habilidades verbales como para responder al momento en que se le lance algún ataque verbal. La sugerencia para él es que sonría, que se aleje y busque alguien más con quien jugar.

23 ◖ ¿Y si no me dejan jugar?

En cierto momento todo niño será rechazado por sus amiguitos, al menos por poco minutos.

Ningún niño se siente seguro frente al rechazo.

Ofrece ideas acerca del juego He aquí algunas sugerencias para ayudar a tu niño a enfrentarse con esos momentos.

Busca a alguien que no tenga con quien jugar, y juega con él Un niño casi siempre encontrará a alguien que está solo como él. Puede acercarse y ser amistoso. A la larga es probable que resulte mejor amigo que los que lo rechazaron.

No trates de entrar por la fuerza a un grupo de juego Si algunos niños no quieren que tu hijo juegue con ellos, él no debe forzarlos. Enséñale que la participación en un grupo de juego tiende a cambiar a menudo. Así como tu hijo se siente más identificado con unos amiguitos que con otros, y que su mejor amigo puede haber cambiado varias veces en el último año, también los grupos cambian de tiempo en tiempo. Si los niños le dicen: «Vete y déjanos solos», la mejor respuesta que puede dar es: «Está bien, los veré luego».

Juega solo y diviértete Incúlcale a tu hijo la idea de que no hay nada malo en jugar solo, y que así se puede divertir. En realidad, es probable que se divierta tanto que quizá otros quieran unirse a jugar con él.

Observa a tu hijo mientras juega   De vez en cuando observa a tu pequeño. ¿Es un buen compañero de juego? ¿Se entrega de lleno al juego? ¿Juega siguiendo las reglas? ¿Lo hace limpiamente? ¿Es rudo (verbal o físicamente)? ¿Coopera o es competitivo? ¿Insiste en hacer las cosas a su manera?

Para que tu hijo sea aceptado por un grupo tiene que ser un buen compañero. Ayúdale a desarrollar las habilidades necesarias para jugar con los demás. La mejor forma de hacerlo es jugando con él. Siéntate en el piso y participa de lo que hace. Juega con sus juguetes y crea historias que los involucre a ambos. Muéstrale:

- cómo hablar y cómo escuchar.

- cómo proponer ideas y cómo dejar que otros aporten también sus ideas.

- cómo desempeñar un papel e imaginar escenarios.

- cómo ayudar a los demás.

El niño que está dispuesto a prestar sus cosas, a participar del liderazgo con los demás y a ayudar a otros a salir adelante siempre será aceptado como compañero de juego.

24 ☾ ¿Y si quiero ir al baño?

Pareciera que cada niño tiene miedo de que cuando quiera ir al baño no halla nadie que le ponga atención o que los baños no estén disponibles. Asegúrale a tu hijo que harás lo que esté de tu parte para atender su petición de buscar un baño.

En los viajes Planea hacer paradas periódicas. Insiste a tu hijo que lo intente, aun si en ese momento no sienta el deseo urgente de ir al baño.

Algunos niños se preguntan si hay baños disponibles en aviones, trenes, autobuses o barcos. Asegúrale a tu niño que siempre habrá un baño disponible para su uso.

Cómo pedir disculpas Enséñale a tu niño a hablarte de su necesidad calmadamente y en privado. También explícale con anticipación que cuando vaya a fiestas, reuniones, ocasiones especiales o afuera y necesite ir al baño, debe, en voz baja y en privado, expresar su necesidad al líder del grupo.

Terminología adecuada Es posible que dentro de la familia, tengan eufemismos para varias funciones del cuerpo, pero cerciórate de que tu niño sabe bien la frase común para expresar su necesidad en público. Siempre es adecuado que diga: «Quisiera ir al baño, por favor. ¿Me podría decir dónde se encuentra?» (Si se encuentra en una casa particular, puede preguntar: «¿Me puede decir dónde se encuentra el baño?»)

En la escuela Acostumbra a tu hijo a usar los primeros minutos del receso o del tiempo de comer para ir al baño. El niño que hace del baño la primera parada en su camino al patio de juegos, o a la cafetería, no le sorprenderá el sonido del timbre de vuelta a clases sin haber atendido sus necesidades personales.

A veces, un grupo de niños en la escuela bloquean la entrada a los baños o dicen que es de su propiedad. Si eso sucede, y tu hijo siente que no puede quejarse al maestro, habla por él. Las instalaciones de los baños en las escuelas deben ser seguras, limpias y bien vigiladas. Cuando vayas a buscar a tu hijo, deténte con frecuencia a revisar los baños. Eso te dirá bastante de lo que está pasando en la escuela en general.

Buena higiene Para sentarse en el inodoro, insiste en que tu hijo use cubierta de papel siempre que estén disponibles (o que se haga la suya con papel higiénico cuando no las haya) y de que se lave las manos después de ir al baño. Parte de sentirse seguro es saber que no está expuesto a enfermedades potenciales.

25 ☾ ¿Y si alguien quiere hacerme daño?

Con frecuencia los niños se sienten inseguros en presencia de extraños, especialmente si son mayores que ellos. También expresan temor en presencia de personas que los han lastimado en el pasado.

Si tu niño muestra repentina repulsión o miedo o si llora sin razón aparente, detente y observa a su alrededor. ¿A quién ves? ¿Hay alguien a quien no quiera ver o tener cerca? Pregúntale por qué, y si es lo suficientemente grande para responder a tus preguntas, explora en privado la razón por la cual tiene esa aversión.

Encuentro con extraños Enseña a tu hijo a extender la mano y decir «hola», cuando sea presentado a alguien a quien no conoce. Ese es un movimiento positivo y una protección para el niño que no le gusta que le den besos, que lo carguen, o que lo adulen. Saludarse de manos es también una buena opción para con los amiguitos de tu hijo, sean niños o niñas.

La respuesta de una persona al saludo de tu hijo puede decirte mucho acerca de esa persona. Si la persona rehúsa estrechar la mano, o aprovecha la oportunidad para causar dolor, quizá tu hijo deba evitar a la persona después de que termine la presentación.

Lo que es privado es privado Enseña a tu hijo que ciertas partes de su cuerpo son privadas y nadie debe tocarlas o acariciarlas. Si un niño mayor o un adulto trata de hacerlo debe decirle firme e inmediatamente: «¡No!», tan pronto como le sea posible correr lejos hacia un grupo de personas o hacia un adulto en quien confíe, y contar lo sucedido. Asegúrale que en ningún momento ha hecho algo malo, sino que ha sido la otra persona la que hizo algo indebido y se le debe castigar por ello, que harás todo lo que esté de tu parte para que se haga justicia y que esa violación personal jamás vuelva a suceder.

Disciplina vs. abuso Comunícale a tu hijo cuando autorizas a otros adultos para que lo disciplinen o lo castiguen —ya sea por medio de una nalgada, enviarlo a su cuarto o negarle algunos privilegios. Habla con los adultos o adolescentes con quienes habrás de dejar a tu niño respecto a lo que pueden y no pueden hacer con él, y también dícelo a él. Habla clara y directamente a los abuelos, tías, tíos, primos y primas mayores, hermanos y hermanas, niñeras y nanas.

Si se traspasan las barreras establecidas, da la cara por tu hijo, e insiste en que tus deseos como madre o padre se deben respetar. Si ocurre un segundo incidente, aleja al niño de los cuidados de esa persona, o cerciórate de estar siempre presente. (En caso de abuso sexual, ¡no permitas una segunda oportunidad!)

Compañeros abusadores Si tu hijo es amenazado por un compañero abusador, debe alejarse tan rápido como le sea posible y evitar confrontaciones. Los abusadores sacan su fuerza de la habilidad de amenazar y salirse con la suya. Son niños que regularmente son maltratados en casa por algún hermano mayor o que está experimentando abuso de cierto tipo. Los abusadores casi siempre tratan de iniciar una riña insultando o diciendo groserías.

Ayuda a tu hijo a hacer amigos, y anímalo a caminar en compañía de sus amigos cuando va de regreso a casa. Los abusadores rara vez atacan a un grupo.

Si el ofensor es un niño mayor del vecindario, confróntalo tu mismo, pero amistosamente. Ve si hay alguna forma en que puedas ayudar a este niño que tiene la necesidad de molestar a menores que él o a los débiles. Al ser amigable con el abusador, prácticamente estás poniendo a tu hijo lejos del alcance de sus amenazas.

26 ☾ ¿Y si sucede un accidente grave?

Tu hijo tiene dos líneas principales de defensa en caso de emergencia. Enséñale cómo usarlas.

Busca a un adulto El primer recurso que un niño tiene en caso de emergencia debe ser encontrar un adulto. Si tú no estás disponible o eres la parte afectada, dile que corra a buscar al vecino más cercano, o si está lejos de casa, que busque a alguna persona que tenga insignia oficial o placa con el nombre. (En la mayoría de los casos, la persona que usa un emblema de identificación tiende a ser una persona con autoridad.) Si ocurre una emergencia en la escuela, tu hijo debe correr inmediatamente en busca del profesor, y si no está al alcance, debe dirigirse al director de la escuela.

Marca los teléfonos de emergencia Enséñale aun a tu niño más pequeño, a usar el teléfono para marcar los números de emergencia en caso de incendio, accidentes serios o crímenes que pueda presenciar.

Tu hijo debe saber:

• hablar lentamente y en forma clara.

- dar su nombre y dirección completa.

- distinguir y dar tantos detalles como le sea posible acerca de la crisis que pasa.

Niños menores de dos años han podido marcar un número telefónico cuando sus padres han caído en coma, experimentado ataques o han sido heridos.

Si tu área no tiene servicio telefónico de emergencia, enséñale a tu hijo a usar el servicio de operadora marcando el cero, y sobre todo a identificarse a sí mismo primero como un niño que se encuentra en problemas. Tan pronto como la operadora responda debe decir: «Soy un niño, y tengo un problema». Luego debe describir el problema. La operadora le preguntará su nombre y dirección, lo cual debe saber decir rápido, claro y preciso.

Al enseñarle a tu hijo cómo usar los números de servicio de emergencia, recálcale que esos números son únicamente para emergencias, no son para jugar ni divertirse.

27 ☾ ¿Y si no se me ocurre decir algo?

Un niño renuente a hablar está con frecuencia atemorizado de ser reprendido por lo que dice, o tiene miedo de que se rían de él por decir algo incorrecto o por hablar de manera equivocada.

Los «cazamiedos» He aquí varias formas que como padre o amigo adulto amoroso puedes usar para ayudar a tu hijo a vencer esos miedos o mantenerlos controlados para que no se desarrollen.

Anima a tu hijo a hablar, pero no lo obligues Hazle preguntas. Haz pausas en tu conversación para darle oportunidad de que dé su opinión o haga comentarios.

Pídele que conteste las preguntas que estén relacionadas con su seguridad y salud, o la seguridad y salud de alguna persona de la cual eres responsable. Pero respeta su deseo de permanecer callado en ocasiones.

Escucha a tu hijo Es fácil desentenderse de un niño que parece estar hablando solo por el gusto de hablar. Un adulto debe reconocer que «hablar por el gusto de hablar» es una razón legítima para que su hijo hable. Esa es la forma en que aprenderá el lenguaje, se sentirá cómodo para expresarse y crecerá para verse como alguien cuya conversación es aceptable y valiosa. Sé paciente. Deja que cuente toda la historia a su manera.

Jueguen con palabras y entonen canciones Una de las formas más sencillas para que un niño aprenda a vencer el miedo de usar el lenguaje o de vocalizar es jugar con palabras, como trabalenguas, juegos con el alfabeto y descripciones. Cuenta chistes y hazle resolver adivinanzas. Hagan juegos de palabras. Entonen canciones juntos.

Si tu hijo necesita terapia del lenguaje, provéesela Los niños temerosos de hablar por lo regular han sido blanco de burlas porque su forma de hablar resulta graciosa debido a algún impedimento del habla. Nunca te burles de la manera en la que habla tu hijo. Insiste en que sus hermanos no se burlen de él.

Jamás corrijas en público la forma de hablar de tu hijo Si tu hijo pronuncia mal una palabra, usa una palabra incorrectamente o hace uso de una gramática pobre, espera hasta llegar a casa y enséñale a solas el uso adecuado. Habla en tono de voz que no sea de crítica, quizá podrías decir: «Quiero hables correctamente con los demás en cualquier lugar y a cualquier hora, para que escuchen tus valiosas ideas y no tengan dificultad en entenderte debido a una palabra mal pronunciada, al vocabulario o a un error de gramática».

Anima a tu hijo para que lea Leer ayuda a formar el vocabulario del niño, lo familiariza con nuevas e inusitadas formas en que se pueden usar las palabras y le da información e ideas para hablar. Pídele que lea en voz alta mientras que preparas la comida. De esta manera le podrás dar una buena práctica para vocalizar correctamente las palabras.

Vencer el miedo escénico   Muchos niños experimentan miedo escénico. Dado el mar de caras de la audiencia, aun para los que saben un discurso completo, una canción o un poema, es posible que al momento de actuar vean evaporarse todas las palabras en su mente y dejar atrás un sentimiento de pánico. Prepara a tu hijo lo mejor que puedas para esos momentos:

- Haz los arreglos pertinentes para que ensaye frente a una audiencia. Trata de llevar a cabo el ensayo en el escenario en que se hará la presentación final.

- Enséñale a visualizar las tres o cuatro primeras palabras de su presentación con los dedos del pie en la punta de sus zapatos. De esta manera, cuando el pánico la ataque puede mirar hacia abajo por un momento e imaginar su primera frase (hasta los niños que no saben leer pueden asociar sus dedos con palabras).

- Deja que tu hijo tenga en el bolsillo una copia de lo que tiene que decir. Para muchos niños, esto es una fuente importante de confianza. Aun cuando nunca tenga que hacer uso del papel, sabe que en caso de emergencia lo puede utilizar.

Sin ideas   Algunas veces un niño simplemente se sentirá como si no supiera qué decir. En esos momentos, anímalo a que escuche atentamente. Quizá no necesite decir nada. La mejor respuesta para él puede ser preguntar algo o continuar escuchando fijamente. Mientras más se enfoque en lo que la otra persona está diciendo, mejor sabrá qué decir u opinar al respecto.

28 ◖ ¿Y si se me olvida?

Más de un niño ha expresado con profundo sufrimiento: «¡La mente se me quedó en blanco!» Un miedo perturbador se concretiza rápidamente cuando una persona, niño o adulto, repentinamente es incapaz de recordar algo que siente que debería saber o recordar.

¡Prepárate! He aquí cinco ideas para que ayudes a tu hijo a desarrollar una buena memoria y evitar los momentos de inseguridad.

Primero, asegúrale que a todo el mundo se le olvida algo a veces Las mejores computadoras en el mundo ocasionalmente tienen errores en el sistema o en la programación. El cerebro experimenta los mismos lapsos. Una forma de vencer el pánico si tu hijo se queda en blanco, es admitir que se ha olvidado. Puede responder: «En estos momentos no se me viene a la mente, pero estoy seguro de que en cualquier momento lo recordaré».

Segundo, ayúdale a aprender algo hasta el punto de que lo pueda recordar A veces una persona necesita oír algo o repetir algo siete veces antes de que pueda aprenderlo hasta el punto de memorizarlo. Por supuesto, un niño no tiene que leer un libro siete veces antes de entender su significado. Pero probablemente deba repetir: «Seis por dos doce» o escribir correctamente una palabra que escribe mal varias veces hasta que la aprenda. Si mandas a tu hijo a comprar «leche, huevos y miel», pídele que se repita «leche, huevos y miel» al menos siete veces mientras va en camino a la tienda.

Tu niño debe también repetir ciertas conductas una y otra vez para que las pueda hacer hábitos, lo cual significa que están grabados en su memoria hasta el punto de responderlas automáticamente. Si tu hijo tiene el hábito de olvidarse del sueter, por ejemplo, dale uno para que lo tenga puesto en casa. Cada vez que se mueva de un cuarto a otro, debe recordar llevar el sueter con él. Haz de la memorización un juego. Estarás creando un buen hábito que reemplazará a uno malo.

Tercero, ayúdale a encontrar información en más de un forma sensorial Por ejemplo, si le muestras una lista de cosas que debe traer de la tienda, pídele que la lea en voz alta para que además de ver la escuche. Si le dices a tu hijo que cierre la puerta del refrigerador después de abrirla, escríbele una notita con el mensaje y pégala en el refrigerador. Ver y escuchar son dos formas sensoriales diferentes. Mientras más sentidos asocia un niño con la información, más fácil le será recordarla después.

Cuarto, enséñale a usar siglas o a acomodar información en orden alfabético o numérico para recordarla con facilidad «Mi sol siempre refleja favor», es una buena manera de aprender el nombre de las notas musicales en las líneas del pentagrama.

Treinta días tiene septiembre, con abril, junio y noviembre; de veintiocho sólo hay uno, y los demás de treinta y uno» le trae a la mente la cantidad de días que tiene cada mes.

Quinto, dale permiso de pedir que repitan Si se le olvida, debe pedir que se le repita la información. He aquí una regla sencilla: «Olvidarse está bien; olvidarse y actuar como si recordaras no está bien».

29 ☾ ¿Y si me orino en los pantalones?

Prevención de la crisis Pocas cosas son tan desconectantes para los niños como que sus compañeros descubran que se ha orinado en los pantalones o que todavía se orina en la cama.

Siempre presta atención a la petición de tu hijo de usar el baño. No le digas: «Aguanta un poquito». Es probable que eso no sea posible. En lugar de eso dile: «buscaré un lugar lo más pronto posible».

Aconséjale que tome líquidos de manera constante y regular durante el día Los niños que toman líquidos en forma regular y constante —contrario a quienes toman tres vasos de agua a la vez porque no han tomado nada durante varias horas, tienen menos crisis de vejiga. (Además, son más sanos.)

Ponle un alto a la ingestión de líquidos de tu hijo un par de horas antes de dormir Quizá tengas que estar tras él por algunos días hasta asegurarte que se haya creado un nuevo hábito.

Si se orina en la cama, trata de levantarlo al menos una vez durante la noche Tal vez antes de que te vayas a dormir (suponiendo que tu hijo ya ha estado durmiendo durante dos horas), puedes probar esta sugerencia.

Si orinarse en la cama se hace crónico y persistente, debes consultar al médico Es posible que el médico te refiera a un consejero. Algunos niños que se orinan en la cama tienen problemas relacionados con algún trauma de su vida. Otros tienden a dormir tan profundamente que sus necesidades fisiológicas no los despiertan. En ambos casos hace falta ayuda.

Enfrentarse a la crisis   Tal vez sea bueno que guardes una muda en tu carro. Esto no sólo ayudará a tu hijo con su crisis de orinarse en los pantalones, sino que además será práctico tenerlo a la mano si a tu hijo lo sorprende la lluvia o se cae en una fuente o pila de agua.

Si se orina en la cama mientras se encuentra en la casa de otra persona, hazle saber con anticipación que debe avisarle a algún adulto cuando se dé cuenta de lo que le ha sucedido. No hay razón para que permanezca en una cama húmeda. Mientras más tiempo pase en esa cama húmeda más se sentirá culpable y miserable, y mayor será la posibilidad de que otros, además de ese adulto, se den cuenta de lo que pasó.

Asegúrale que todo el mundo ha tenido este problema en algún momento de su vida.

Jamás te rías de tu hijo porque se ha orinado en la ropa o en la cama, ni te burles de él frente a otras personas, ni lo castigues por este comportamiento. Insiste también en que tus demás hijos tampoco se rían. Es muy importante que dejes que el comportamiento se vuelva historia sin mucha fanfarria ni anuncio.

30 ☾ ¿Y si te mueres?

Los niños casi siempre hacen esta pregunta tarde o temprano en algún momento de su vida. Los que tienen padres que viajan con frecuencia pueden sentirse repentinamente inseguros respecto al padre o madre que va a viajar en el avión (quizás después de haber visto un accidente aéreo por la televisión), o los que sienten el dolor de la pérdida del abuelo o la abuela muertos recientemente, o quien experimenta lo que sucede como resultado de la muerte en la familia de un amigo pueden sentir una tristeza sobrecogedora respecto a la posibilidad de la muerte de sus padres.

¿Qué puedes decir? Hay varias respuestas apropiadas sin importar cuál sea la situación que haya causado que tu hijo haga esa pregunta.

Explícale que has hecho los arreglos necesarios para que alguien cuide de él en caso de que mueras La preocupación principal de un niño es su bienestar. «¿Quién me cuidará si no estás?» es quizá la pregunta que realmente se está haciendo. Cerciórate de que tu hijo sabe con quién se irá a vivir. Si no has hecho arreglos legales con algún miembro de la familia, padrino o amigo, en cuanto a la tutela de tu hijo en caso de muerte consulta a tu representante legal y haz los arreglos. Tu hijo se sentirá más confiado si más tarde esa persona le dice: «Si algo llegara a pasarles a tu mamá y a tu papá, y no pueden cuidarte, lo cual esperemos en Dios que nunca suceda, aquí estaré yo para cuidarte».

Asegúrale que quieres vivir tanto como puedas por el bien de él Dile que vas a hacer todo lo que esté de tu parte para vivir en forma saludable y segura. Exprésale tu deseo de vivir.

Habla con tu hijo realistamente acerca de la muerte, del dolor y de continuar con la vida Quizá puedas hablar de esto después de la muerte de alguna mascota. Habla con tu hijo acerca del hecho de que con el tiempo todo ser viviente ha de morir, ya sea un ser humano, una mascota o una planta. Lo importante es vivir al máximo y estar preparados para morir. Asegúrale que tienes paz en Dios y que esperas algún día ir a morar con Él en el cielo. Es más, esperas pasar la eternidad al lado de Dios y de tu hijo. Háblale acerca del gozo de ir a morar al cielo, de la esperanza de la eternidad y de que no habrá más enfermedad, dolor, tristeza, carencia, pérdida o muerte. Háblale del cielo en términos reales; ayúdalo a visualizarlo como un lugar maravilloso y real. Háblale de la gente de tu pasado que ya está en el cielo y acerca del gozo que sientes al pensar en volver a verlos. Dale a tu hijo la esperanza del cielo.

Dile al niño que está bien llorar y sentir tristeza después de una muerte. La pena es una parte normal de la vida, y algunas veces incluye ira, lágrimas y un inmenso sentido de pena y pérdida. Estos sentimientos son normales. Sin embargo, llegará el día en que nos volveremos a reunir.

Invítalo a orar contigo respecto de su seguridad y salud Antes de que salgas a algún viaje, haz una oración con tu hijo por tu seguridad y el bienestar en el viaje, y por la seguridad y el bienestar de él o ella en casa.

Asegúrale siempre que Dios tiene un plan para su vida, el cual incluye proveer para él las cosas y la gente que necesita Ayuda a tu hijo a memorizar el Salmo 10.14: «Tú [Dios] eres el amparo del huérfano». Asegúrale que cuando los padres mueren o cuando fallan, los niños siempre tendrán a su Padre celestial quien los ama y cuida de ellos.

31 ☾ ¿Crees que me acepten?

Uno de los conceptos más útiles que puedes enseñar a tu hijo es la verdad de que no podemos caerle bien a todo el mundo, pero hay alguien a quien le caerá bien toda persona.

Gente que... Puedes mejorar las posibilidades de que tu hijo esté entre «los que caen bien». Enséñale algunas cosas básicas acerca de las personas.

Los que caen bien a los demás los ayudan y hablan bien de ellos Enséñale a tu hijo a admirar a otras personas sin llegar a adorarlas para buscar sus favores. Un niño puede aprender a ser generoso con afirmaciones y cumplidos positivos: «Lo estás logrando»; «tuviste un buen juego hoy»; «¿sacaste la máxima calificación? ¡Felicidades!» Enséñale que aprobar a otros no disminuye su propia aprobación. Por el contrario eleva su aprobación ante los ojos de los que reciben tales cumplidos de su parte, o escuchan que él los da a alguien más.

Los que caen bien muestran buenas maneras Esto significa ser agradable y considerado, y que ofrece lo que tiene. ¿Hay alguien a quien tu hijo pueda regalar la mitad de una barra de chocolate? ¿Sabe decir «gracias» y «por favor» a sus compañeros? ¿Deja que los demás tomen su turno, quiere ser el primero o se pone en fila? Si no es así, enséñale que los buenos modales y la gentileza en general van unidos al hecho de ser aceptado.

Los que caen bien se toman el tiempo para conocer a los demás Esto incluye hacer preguntas, escuchar y pasar tiempo con ellos. Es fácil rechazar a una persona por ser desagradable o sacar una conclusión de que no le caíste bien a alguien después de algunos minutos de estar en su presencia. Quizá ha tenido un mal día. O quizá es una persona tímida o se está haciendo la difícil. Quizá está reaccionando a un incidente que le acaba de suceder, y no necesariamente por tu hijo en particular.

Enséñale a no considerar el desinterés de la gente, a darse otra oportunidad para desarrollar la relación y dejar que crezca de manera natural con el tiempo.

En busca de amistades

La mejor forma de hacer amigos es siendo amistoso. Si tu hijo es rechazado por otro niño o por un grupo de niños, anímalo a buscar a alguien que necesite un amigo. Aliéntalo a que siempre:

- guarde los secretos de sus amigos (siempre y cuando no estén directamente relacionados con asuntos de salud, seguridad o abuso.)

- hable bien de sus amigos. La crítica mata la amistad, directa o indirectamente.

- evite los chismes.

- se las arregle para pasar tiempo con alguien. La amistad exige tiempo. Un amigo se necesita más en tiempos de crisis. Si el amigo de tu hijo pasa por tiempos difíciles, permítele a tu hijo que pase tiempo con él.

Tolerar lo intolerable   Enseña a tu hijo que puede aprender a tolerar a quienes no les resultan agradable. Puede aprender a tolerar su presencia y a ser considerado al estar cerca de ellos.

¿Qué tiene que ver esto con que se acepte a tu hijo? Otros habrán de observar cómo trata a alguien que se ha portado mal con él o que no le ha hecho caso. Si tu hijo continua siendo amigable y paciente con esas personas, quienes observen es probable que concluyan: «Esa es la clase de amigos que quiero».

32 ☾ ¿Y si no puedo hacerlo solo?

Algunas veces los niños se sienten inseguros respecto a su incapacidad para hacer algo que otros parecen pensar que pueden hacerlo.

Paso a paso Ayuda a tu hijo a avanzar en la nueva habilidad o experiencia con pasos graduales.

Quizá no sea capaz de escribir bien las doscientas palabras del examen de ortografía la primera vez que las escuche. Pero tal vez pueda aprender a escribir correctamente veinte palabras por semana durante las próximas diez semanas.

Es posible que no sepa cómo montar solo en bicicleta la primera vez que se sube a una, pero con un poquito de ayuda tuya seguro que podrá aprender a manejarla en un par de días.

Habilidades básicas Tu hijo debe aprender ciertas habilidades esenciales para su sentido general de autoestima:

- Vestirse, incluyendo atarse los zapatos y abotonarse la camisa.

- Cepillarse los dientes y bañarse.

- Ir al baño.

A medida que vaya creciendo, deberá aprender a preparar una comida sencilla, cómo lavar la ropa y limpiar su cuarto.

Proyecta independencia He aquí más ideas para ayudar a tu hijo a ser independiente.

Siempre alberga la esperanza de conducta independiente Dile a tu hijo: «Es posible que ahora no puedas hacer esto solo, pero algún día serás capaz de hacerlo. Yo te ayudaré hasta que eso pase». Sólo porque un niño no puede hacer algo ahora no significa que no será capaz de hacerlo después.

Asegúrale siempre que tus sentimientos no cambiarán cuando sea más independiente No digas: «Voy a extrañar hacer esto para ti», o «voy a odiar el día en que ya no me necesites más». En lugar de eso di: «Quiero ayudarte a crecer para que seas independiente de mis manos y pies, pero nunca totalmente separado de mi corazón».

Enséñale a leer y a seguir instrucciones Deja que las instrucciones sean tu primer recurso para componer o hacer algo, o para resolver algún problema. Lo mismo se aplica para obtener la información que necesitas. Si tu hijo no puede hacer algo solo porque le hace falta información, enséñale dónde y cómo preguntar por los hechos, procedimientos o protocolos que debe saber.

Dale la oportunidad de practicar solo No estés vigilándolo por encima de sus hombros cada paso que dé. Déjalo probar sus habilidades en privado.

Explícale que es perfectamente normal pedir ayuda No hay ningún delito en pedir información o ayuda. La persona puede elegir no dar su ayuda para lo que se le pide, pero ese es otro asunto, no es signo de debilidad o una falta. Pedir ayuda.

Enséñale a enfocarse en lo que quiere hacer, no en lo que no puede hacer Si tu hijo puede hacer solo parte de la tarea, déjalo que haga esa parte. Quizá no pueda doblar y poner a un lado toda la ropa, pero es probable que sí pueda doblar las cosas pequeñas.

Dile que esperas que haga lo mejor y trabaje duro, pero que no esperas perfección Nadie es perfecto o puede hacer todas las cosas perfectas todo el tiempo.

33 ❨ ¿Y si me enfermo?

Los niños rara vez hacen esta pregunta, a menos que ya se sientan enfermos o se hayan enfermado en el pasado cuando han estado fuera de casa.

¿Alguien necesita sopa de pollo?   Asegúrale a tu hijo que si no se siente bien, harás lo mejor que puedas para ofrecerle un lugar y los medios para que se recupere pronto.

- Busca señales visibles de enfermedad: un cambio de semblante, comportamiento desganado, fiebre.

- Pídele que te describa los síntomas, lo que siente y cuándo se originó. Si la situación parece lo suficientemente severa como para que faltes al trabajo o busques una enfermera para que lo cuide, hazlo. No dejes que vaya a la escuela, ni lo dejes rodearse de otros niños si se encuentra enfermo.

- Insiste en que si tu hijo está lo suficientemente enfermo como para estar en casa, tendrá que irse a la cama y estar ahí la mayor parte del día; no habrá televisión, no jugará con sus juguetes, ni vendrán amigos a dormir a casa. Un niño que está verdaderamente enfermo querrá dormir, no se sentirá con mucho ánimo como para jugar y deseará consumir líquido la mayor parte del tiempo.

- Si mejora sorprendentemente tan pronto como decidiste quedarte en casa con él, o cuando supo que no iría a la escuela, reconoce que te ha engañado, e insiste en que se vista y se aliste para ir a la escuela, aun cuando ya haya perdido medio día.

Algunos niños usan este miedo para lograr que se les exima de ir a la escuela, al campamento o a algún otro sitio y así quedarse en casa, o para manipular a mamá y papá para que pasen más tiempo a su lado. Si sospechas que te está manipulando, habla con él acerca del origen del miedo. ¿A qué le teme en la escuela o en el campamento? Evalúa el tiempo que pasas con tu hijo. ¿Es suficiente?

Una mala experiencia Si en el pasado tu hijo estuvo enfermo en alguna fiesta o en la escuela, es posible que tenga cierta inseguridad de que se enfermará de nuevo, especialmente si tiene un estómago nervioso. Aconséjale que si siente necesidad de ir a la enfermería de la escuela, o si decide volver a casa estando en una fiesta, lo único que tiene que hacer es pedírtelo, y estarás ahí tan rápido como te sea posible para recogerlo. Si siente náuseas, siempre tiene la opción de excusarse, salir al baño, o de tomar aire fresco.

34 ◖ ¿Serías capaz de abandonarme alguna vez?

Tranquilízalo regularmente Asegúrale a tu hijo con frecuencia como sea necesario, que jamás te irás de su lado. Sin embargo, explícale algunas cosas tan pronto como pueda entender lo que le dices.

Abandonar no es lo mismo que salir Los padres algunas veces necesitan salir, para hacer viajes de negocios, resolver ciertas emergencias, buscar un trabajo, hacer los cambios necesarios en caso de la venta de la casa, de separación marital o de divorcio. Salir es irse lejos con la intención de regresar o de reunirse como familia. Abandonar es dejar de interesarse, de proveer o de amar.

Si estás enfrentando una ruptura familiar, deja en claro a tu hijo que tu salida no tiene nada que ver con tus sentimientos hacia él, de que no es responsable de tu salida y de que no lo abandonarás en términos de amor, provisión o atención.

Algunas veces una persona está separada de sus seres queridos sin desearlo Un ejemplo podría ser enfermedad, servicio militar o algún tipo de calamidad o trabajo. Explica a tu hijo que tu intención y deseo es jamás separarse de él accidentalmente.

Asegúrate de que tu hijo sabe que cuando lo dejas en la clase de la escuela dominical o en el campamento de verano no lo estás rechazando, abandonando o dejando de interesarte por él Si es posible, establece hora específica en la que le anticipas que estarán juntos de nuevo. Dile: «Será sólo por una hora», o «regresaremos por ti exactamente dentro de catorce días». Si es muy pequeño para leer el reloj o un calendario, háblale en términos que pueda entender: «Regresaré a buscarte cuando hayas terminado de jugar con todos los juguetes de ese estante».

Si tu hijo se te aferra temiendo que nunca regresarás, trata de quedarte algunos minutos en el nuevo ambiente Ayúdalo a hacer un nuevo amigo y a que comience a jugar.

Regresa cuando digas Puedes aliviar el sentido de inseguridad asociado con el hecho de separarse de ti al hacer un hábito el regresar rápidamente. Salúdalo con un mensaje positivo: «Regresé por ti justo como te dije que lo haría, y es más, hasta llegué cinco minutos más temprano de lo acordado».

Haz que tu hijo sepa que puede contar con tu palabra respecto al tiempo y lugar, y se sentirá mucho más confiado al saber que puede descansar en tu promesa de que nunca lo abandonarás.

35 ◖ ¿Y si esa criatura me hace daño?

Un niño a menudo teme a los animales, insectos y reptiles debido a una de sus primeras experiencias en la cual percibía que un animal más grande que él lo amenazaba, o porque un adulto reaccionó con pánico debido a la presencia de un insecto cerca del niño.

Mantener la calma Puedes hacer mucho para no dejar que ese tipo de miedo se desarrolle o para amortiguar su poder. Si ves a tu hijo en una situación que crees pueda ser peligrosa, muévete rápido, pero con calma, hacia él y quítalo del peligro. Haz pocos comentarios antes, durante y después de la maniobra. En otras palabras, no grites, no te pongas histérico, ni llores. Abrázalo como muestra de alivio de que está salvo y quizás puedas decirle: «Mami quiere que le des un gran abrazo», o «Papi quiere mostrarte algo, vamos».

Si hay algún insecto, reptil, roedor u otra animal que deba matarse o quitarse del área, hazlo fuera del alcance de la vista de tu niño (si es posible).

Educación avanzada Alerta a tu hijo del peligro asociado con ciertos animales, insectos y reptiles. Tal vez quieras repasar con él un libro de fotos y mostrarle varios animales haciéndole ciertas preguntas: «¿Qué harías si vieras uno de estos en el jardín?», o la siguiente afirmación: «Si ves uno de estos, debes hacer esto».

Si tienes alguna plaga de insectos en el jardín o dentro de la casa que pudiera ser peligrosa para tu hijo, captura uno de ellos si es posible y muéstraselo. Explícale que es peligroso y que debe avisarte tan pronto vea uno.

La «huida en calma» Enseña a tu hijo el valor de huir con serenidad. Los animales y los insectos tienden ser bruscos ante el movimiento con dientes, garras y golpes listos para el ataque. Enseña a tu hijo a retirarse lenta y tranquilamente o quedarse inmóvil («como una estatua») y dejar que el animal o el insecto se vaya.

Experiencia profesional Si tu hijo le tiene miedo a los perros, por ejemplo, quizás el perro que era grande para él en el momento en que sintió temor era en realidad más pequeño. No obstante, el miedo es tanto que hasta un perrito puede causarle pánico.

Ayúdalo a vencer este miedo regalándole un cachorrito. Estos rara vez atemorizan. A medida que tu niño vea que la mascota crece, aprenderá acerca de su comportamiento y llegará a sentir que al menos hay un perro al que no le teme.

Zoológico de mascotas Lleva a tu hijo a un zoológico de mascotas de vez en cuando para que se familiarice con algunos animales. Llévalo a montar a caballo. Visiten zoológicos y acuarios. Deja que vea que los animales, por lo general, no son violentos; es más, que raras veces amenazan a los seres humanos a menos que los provoquen, o que estén entrenados para atacar, o que hayan invadido su territorio, o se les asuste.

36 ☾ ¿Y si no me gusta?

Anima a tu hijo a experimentar con varios aspectos de su cultura. La madurez y aceptabilidad social de un niño parecen estar directamente relacionadas con la variedad de sus experiencias, la mayoría de las cuales deben autorizarlas o supervisarlas una persona adulta.

Comidas A menudo un niño muestra disgusto hacia alguna comida porque ha visto a un adulto rechazarla o tratarla con sospecha. Imagina que a tu hijo le gusten las espinacas. Dale nuevas comidas con una actitud positiva como: «Aquí tienes, prueba un nuevo sabor sensacional». Si rechaza la comida, no pienses que jamás le gustará. Inténtalo de nuevo dentro de algunas semanas, meses o quizás años. No des por sentado que su gusto será igual al tuyo. Es posible que disfrute la comida que más detestas.

A medida que tu hijo crece, anímalo a experimentar con hierbas y condimentos. También invítalo a que aprenda a cocinar. Sugiérele que saboree al menos un pedazo pequeño de un nuevo plato o comida para saber si le gusta o no.

No lo fuerces a que coma lo que no le gusta. Busca una comida de la misma categoría (con el mismo valor nutricional) que le guste y dásela en su lugar. Evita los dulces y las comidas muy procesadas.

Enséñale a desechar un bocado de comida de manera discreta (depositándolo en la servilleta al limpiarse la boca o excusándose de la mesa por un momento).

Vestuario Dentro de la medida de tus posibilidades económicas y según tus gustos, permite a tu hijo participar en la decisión acerca de lo que va a vestir. Déjalo elegir algunos artículos a la hora de comprarlos. Enséñale a confiar en su sentido de estilo y en su habilidad para combinar colores y texturas, en lugar de depender de ropa de marca. Resalta la calidad de la confección (muéstrale cómo determinar si una prenda está bien hecha), materiales lavables, estilos de poco mantenimiento y combinación de las prendas con otros elementos de su guardarropa. Deja que tu hijo mayor se vista solo eligiendo lo que desee. Cuando vistas a tu hijo pequeño, explícale por qué le pones ciertas prendas, colores y materiales juntos.

La habitación de tu hijo Logra que tu hijo participe en la decoración de su cuarto. Elige muebles y materiales cómodos y de fácil mantenimiento. Deja que el niño participe en la elección de colores y diseños. Convierte la decoración de su cuarto en un proyecto conjunto. Un niño debe sentirse siempre a gusto en su propio espacio, no como un visitante en una sala de exhibición.

Experiencias culturales Nunca des por sentado que a tu hijo no le gustará una clase particular de exhibición o espectáculo. Deja que evalúe por sí mismo la experiencia de la opera, un concierto sinfónico o un museo. Con bastante frecuencia los niños se muestran aburridos con las experiencias culturales, sobre todo, porque no se las hacen interesantes. Salgan durante el intermedio o vean una sola ala del museo. Busca espectáculos especialmente diseñados para niños o basados en historias clásicas con las cuales ellos estén familiarizados. Busca también exposiciones prácticas, museos y actividades en los cuales se invite a tu hijo a participar de alguna manera. Las experiencias de este tipo son casi siempre positivas.

37 ☾ ¿Y si lo rompo o lo arruino?

Tu hijo se sentirá inseguro con respecto a romper o arruinar un objeto o prenda de vestir en proporción directa al valor que le des.

Planea por adelantado Puedes reducir el nivel de ansiedad de tu hijo sobre las cosas de varias maneras.

Para empezar, elige artículos a prueba de niños Si prefieres desde platos de cerámica y vasos de cristal a platos y vasos plásticos, elige estilos que sean de fácil manejo para el niño, fácilmente reemplazables y económicos. Considera que de vez en cuando habrá objetos rotos.

Selecciona muebles resistentes que aguanten las manos pegajosas de los niños, los derrames de líquidos y los ataques de todo tipo. Busca ropa flexible, duradera y fácil de poner y quitar. Cuando sea posible, elige la alternativa de que sean objetos lavables, a prueba de lápices de colores y pinturas, como animales de peluche, ropa y forros de tela o cubiertas de ventanas y pisos.

Si posees objetos valiosos, ponlos lejos del alcance de tu hijo, al menos hasta que sea un poco mayor.

Establece ciertas áreas de la casa para comer y jugar Mantén el consumo de alimentos confinado a la cocina o al área específica para comer. Si es posible, envía a tu hijo a jugar al patio. Enséñale a limpiarse los pies o a quitarse los zapatos sucios antes de entrar a la casa. Elige muebles y materiales para la sala de juegos que sean resistentes a la falta de coordinación de los niños y su tendencia hacia una explosión ocasional de alboroto.

Aconséjale que confiese las roturas o manchas accidentales lo más pronto posible De esa manera podrás asegurarte de barrer todos los pedazos (especialmente si se tratan de vidrios) o de que las manchas se quiten antes de que se vuelvan permanentes.

Enséñale lo que consideras la diferencia entre destrucción accidental y deliberada de la propiedad El niño que «accidentalmente» lanza una pelota en la ventana del vecino mientras juega en un área prohibida debe recibir un castigo. El niño que golpea el vaso de leche mientras recibe un plato de puré de papa tiene un accidente.

Enséñale el principio de la retribución por la víctima Tu hijo debe ayudar a pagar el daño incurrido a la propiedad de otra persona (incluyendo la tuya o la de algún hermano o amigo). La cantidad con la cual debe contribuir para reemplazar el vaso o el muñeco rotos será proporcional, por supuesto, a la capacidad de pago del niño. Sin embargo, la cantidad debe ser lo suficientemente significativa para captar su atención y requerir diligencia, sacrificio o trabajo extra.

Debes enseñarle a disculparse siempre por un acto de destrucción. A la disculpa debe seguirle la retribución, no debe ser el sustituto.

Reconoce personalmente y enséñale que las cosas son para hoy, pero las personas son para siempre A la larga, cada posesión se romperá, se dañará o se desechará. Muy poco de lo que existe hoy estará a nuestro alrededor de aquí a cien años. Por otra parte, las relaciones con las personas tienen la capacidad de ser eternas. Respetar la propiedad de otros es una forma de mostrar respeto por ellos. Y el respeto es un elemento clave necesario para las relaciones duraderas.

38 ◖ ¿Y si tengo que ir al dentista, médico u hospital?

La inseguridad de un niño con los dentistas, médicos y hospitales casi siempre se debe a dos temores: lo desconocido y el dolor. Ayuda a tu hijo de las siguientes maneras.

Insiste en la sinceridad Nunca le digas a tu hijo que algo no le dolerá ni que no molestará si hay alguna posibilidad de que ocurra lo contrario. El mejor enfoque es decir: «Esto te va a doler y a arder hasta la cuenta de diez. Tan pronto como sientas dolor, comienza a contar».

Provee un escape mental Dale a tu hijo algo positivo y placentero en qué pensar durante ciertos procedimientos. Dile: «Mientras que el dentista te está perforando el diente, imagina que estás en una mina a punto de encontrar una rica veta de oro. Crea una historia en tu mente. Cuando el dentista llene tu diente de amalgama, piensa acerca de todo lo que quieres llevar en tu mochila cuando vayas a dormir a casa de abuelita esta noche».

Ve con tu hijo No lo mandes solo a la consulta del dentista ni al examen médico de rutina. Ve con él. Tu presencia lo reconfortará, siempre y cuando estés tranquilo y confiado.

Manténte informado Haz preguntas al médico en presencia de tu hijo. Pídele que te explique ciertas cosas en términos que tu hijo pueda entender. No le guardes secretos con respecto a su condición médica ni al curso de algún tratamiento. Anímalo también a hacer preguntas acerca de cómo funcionan ciertos instrumentos, para qué se usan ciertas cosas y por qué el médico hace determinados procedimientos u ordena algunos exámenes.

Visita por adelantado Si a tu hijo lo van a hospitalizar (quizás para la extracción de las amígdalas u otro tipo de cirugía), haz arreglos para una visita previa al hospital. Ve a donde estará tu hijo o donde pasará la noche. Él se sentirá mucho más seguro al ir de nuevo al hospital.

Si es posible, descríbele varias partes del hospital y las funciones del personal del hospital (enfermeras, médicos, ayudantes, etc.). Dile por qué el médico usará un «uniforme», una máscara y guantes.

Pasa la noche ahí Por lo general, uno de los miedos de ir al hospital es pasar la noche lejos de la casa en un lugar y una cama extraños. Si es posible, pasa la noche con tu hijo en el hospital hasta que se quede dormido. (Algunos hospitales permiten que los padres se queden a pasar la noche en el cuarto de los pacientes pequeños.) No le digas que estarás ahí cuando despierte, a menos de que estés absolutamente seguro de que así será. Pero sí dile que la enfermera que lo atiende estará disponible en todo momento y asegúrate de que la conozca. Antes de irte del hospital, muéstrale cómo llamarla.

No exageres No hagas un drama ante la apariencia de tu hijo, ante las noticias del diagnóstico ni en el momento de la separación, con expresiones de miedo, pánico o ansiedad. Guarda tus lágrimas y expresiones de miedo para que tu hijo no las vea ni escuche. Él se recuperará rápido, estará mejor, se adaptará con más facilidad a su medio, y se sentirá más seguro y confiado si no se tiene que preocupar por tus sentimientos y temores. Sé tan parco como te sea posible en lo que se refiere al trabajo que hacen los médicos, dentistas, enfermeras y cirujanos.

Ten fe Cualquiera que sea la condición, pronóstico o circunstancias, exprésale tu creencia y esperanza de que estará mejor y de que vivirá larga, gozosa y productivamente. Créelo siempre por tu hijo.

39 ❮ ¿Y si me incitan a hacer algo malo?

A menudo, los niños se encuentran con la guardia en baja cuando los amigos los incitan a hacer algo que no quieren o que saben que no deben hacer. La provocación quizás la lancen como una simple invitación. De cualquier forma, el niño siente miedo ante la propuesta o ante el pensamiento del castigo si lo pescan en el acto. Puedes ayudar a tu hijo a enfrentarse con estos momentos.

Prepara a tu hijo Explícale que sus compañeros de juego algunas veces querrán que haga cosas imprudentes o indebidas para él. Recálcale que deseas que él *siempre* experimente, vea, pruebe o trate lo que sea para su beneficio. Dile a menudo, enfática y directamente, que tu máximo deseo es verlo crecer hasta que sea un adulto juicioso, saludable, generoso y valiente. Ser valiente y tener salud a veces significa decir no a los amigos que *no* les importa qué clase de adolescente o adulto pueda llegar a ser tu hijo.

Dale a tu hijo una «salida» automática
Explícale que siempre podrá decir: «No, preferiría no hacerlo». No tiene para qué excusarse. Sin im-

portar los insultos que reciba o las burlas que aca-
rree, su decisión será buena y debe aferrarse a ella
con valor. Reconoce como un acto de valor de tu
hijo el rechazo que haga por llevar a cabo una actividad peligrosa o dañina.

Quizás también quieras sugerirle que dé estas respuestas: «¿Quién crees que soy? Soy demasiado inteligente como para hacer eso». «Tengo otros planes».
Insístele en que no necesita explicar sus planes. Simplemente puede responder si se le pregunta: «Esos
son mis planes». Si tu hijo se encuentra en un lugar
en el cual está incómodo, debe salir de ahí inmediatamente y pedir que vengan a buscarlo. Puede excusarse con sus amigos diciendo: «Me acabo de acordar
que necesito estar en otro lugar ahora mismo».

Anímalo a dirigir en vez de seguir La mejor alternativa ante una provocación o una invitación indebida es una actividad positiva, divertida
y buena. La mayoría de los niños *preferirían* no hacer lo que creen que es peligroso, doloroso ni digno
de castigo. Ayuda a tu hijo a pensar de forma crea-
tiva para alejar la atención de su amigo, o grupo
de amigos, de la actividad peligrosa a una actividad placentera. Si, por ejemplo, un amigo desafía
a tu hijo a ver una película para adultos, debe responder: «Creo que va a ser aburrida. Preferiría salir
y jugar a la pelota».

Cuando hables con él respecto a cómo evitar una
provocación, enséñale la diferencia entre ser un líder y un seguidor. Un buen líder presenta ideas
buenas para todo el mundo y está dispuesto a ex-

presarlas. Las actividades dirigidas hacia juegos de cooperación, servicio a otros o aprendizaje (buena información) son casi siempre beneficiosas para todos los niños del grupo. Confecciona una lista de esas actividades con tu hijo. Recuérdale cuán divertidas han sido en el pasado y qué bien se sienten después de participar en ellas.

40 ☾ ¿Y si alguien me ofrece drogas?

Muchos adultos suponen de manera automática que el uso de las drogas se debe exclusivamente al resultado de la influencia de los amigos. Las presiones de los amigos para participar es sólo un aspecto del uso de drogas, pero no es la única razón por la cual los niños deciden decir sí a un experimento con sustancias químicas o continúan usándolas. Una gran parte del atractivo que las drogas presentan a los chicos, aun a los más pequeños, está ligada a estas dos razones:

1. Las drogas parecen ser parte del dominio de los adultos. Por lo tanto, un niño se visualiza más como adulto si usa sustancias químicas.
2. Las drogas ofrecen una alternativa a la forma en que alguien se siente en el presente, ya sea como un escape o como una forma de autorización. Un niño que se siente inseguro o temeroso está especialmente propenso a experimentar con drogas como un medio de sentir más confianza.

Medidas preventivas Los padres pueden controlar el uso de drogas de varias maneras preventivas.

Detén cualquier abuso químico Si usas sustancias químicas, estás en desventaja para decirle a tu hijo que no las use. Un niño imita más fácilmente el comportamiento que observa que el que se le dice que haga. Si recurres a los barbitúricos para aliviar el estrés en tu vida o para ser más sociable, tu hijo los buscará por los mismos motivos.

Reconoce y comunica a tu hijo que el alcohol, el tabaco, los medicamentos fuertes y varios tipos de píldoras son adictivas Además, explícale que debe evitarse cualquier cosa que sea adictiva y cause daño físico. Los medicamentos, por otro lado, por lo general ayudan a la persona a recuperarse de algún padecimiento.

Adviértele con anticipación Enséñale a tu hijo a lidiar con ofertas de alcohol, píldoras, inhalantes o tabaco. «Sencillamente di no» es sin dudas un buen principio. Anímalo a agregar una frase de autoestima a esa línea, tal como: «Soy demasiado inteligente para creerme ese cuento», o «Sé el daño que eso causa al cerebro y planeo usar mi cerebro para cosas mejores». Explícale que quienes le ofrecen sustancias químicas no son sus amigos porque no buscan el mejor y más brillante futuro para él. Explícale que no debe entrar en polémicas sobre el asunto, basta con que se aleje de la oferta.

Conforme crezca tu hijo, háblale respecto a la información científica que relaciona varias sustancias químicas

con ciertas enfermedades y con la muerte Provee hechos para apoyar sus argumentos contra quienes
continúen tratando de inducirlo en provocaciones,
presiones o amenazas de alienación.

Intervención Si sospechas que tu hijo ha pro-
bado, o lo está haciendo, sustancias químicas, intervén de inmediato. Pide ayuda profesional.
Encara los sentimientos ocultos de inseguridad y
enajenamiento que puedan estar a la raíz de los
deseos de tu hijo por escapar de la realidad o participar más de su grupo.

41 ☾ ¿Y si no sé qué hacer?

Los adultos no son los únicos que a veces se encuentran sin saber qué hacer o decir. A veces, los niños tampoco saben qué hacer, a dónde correr, o cómo enfrentar el problema.

Quizás el mejor consejo se resuma en dos palabras: *pide ayuda*.

Consejeros sabios Enséñale a tu hijo a buscar personas sabias que le den consejos para su beneficio, que estén acorde con sus valores y que no causen daño a otros. También debe buscar consejeros sabios que tengan *conocimiento* acerca del área en la cual necesita ayuda.

Si la primera persona que tu hijo busca no es sabia, no tiene el conocimiento o rehúsa ayudarlo, deberá buscar a una segunda persona y tal vez una tercera y cuarta hasta que consiga la ayuda que necesita.

Únicamente ayuda Debes enseñarle a tu hijo la diferencia entre recibir ayuda y tener a una persona que *haga* la tarea o trabajo por él. Con frecuencia los niños piden ayuda con la esperanza de que alguien haga el trabajo que detestan, que no quieren hacer o que tienen problemas para realizar. Ayúdalo, pero no le hagas los deberes y tareas que le corresponden.

El mismo consejo se ajusta en relación a qué hacer en las relaciones o en circunstancias difíciles. Debe elegir un consejero que le ayude a tomar la decisión correcta, no una persona que le diga qué hacer o que tome la decisión por él.

Ayuda inteligente He aquí algunas situaciones de las que tu hijo puede beneficiarse enormemente al pedir ayuda si fuera necesario:

- Instrucciones: «Si las instrucciones no son claras, o si las necesitas para llegar al lugar al que debes ir, pregunta. No andes perdido y errante».

- Procedimientos: «Si no entendiste bien las instrucciones para ensamblar algo, ya sea un modelo de avión o una receta de galletas, pide que te aclaren el procedimiento. No termines haciendo un desastre».

- Habilidades: «Si no sabes cómo ensamblar elementos o utilizar herramientas, pregunta». Si eres diestro en alguna habilidad, asegúrate de que tu hijo tenga la oportunidad de practicar en tu presencia. No le muestres lo que debe hacer y después lo abandones. Deja que practique al menos una vez en tu presencia y luego déjalo para que pueda trabajar solo.

- Definiciones: «Si una persona usa una palabra o frase que no entiendes, pregunta el significado. No finjas que lo sabes. Si no le puedes preguntar a la persona, busca en el diccionario tan pronto como puedas para que recuerdes el contexto en el cual la escuchaste».

Conducta modelada   Los padres o adultos, modelarán el comportamiento de pedir de los hijos. El niño que ve a un adulto solicitar una aclaración, admitiendo que no lo sabe y pidiendo ayuda, aprenderá rápidamente y más que otro niño. Si sabe, qué hacer o cómo pedir ayuda es un niño sensato.

42 ☽ ¿Y si no me sostiene?

Los niños algunas veces reflejan inseguridad y temor respecto a la capacidad de los objetos mecánicos, formaciones naturales o muebles para sostener su cuerpo. Esto se relaciona mucho con el miedo a caerse. Podría considerarse como inquietud anticipada a la caída. Es un instinto que puede servirle a tu hijo bastante bien, siempre y cuando no paralice su disposición de explorar el mundo que lo rodea.

La prueba de resistencia Muéstrale a tu hijo cómo poner objetos pesados en un equipo para probar su capacidad y ver si puede resistir su peso; pon un peso adicional para probar su fortaleza. Enséñale cómo descubrir:

- rajaduras a causa del sobrepeso.

- la fortaleza de las uniones.

- la firmeza de las conexiones.

Un bote con grandes rajaduras no es seguro que aguante a tu hijo en el agua; una escalera de soga con partes deshilachadas es probable que no aguantará su peso; una muralla con piedras resquebrajadas no es un lugar seguro en el cual pueda caminar.

Si vives en un área donde hay lagos y ríos que se congelan durante el invierno, debes enseñarle las señales del hielo delgado y qué hacer si se comienza a partir. Tu pequeño debe entender que no debe estar sobre el hielo sin tu permiso.

Muy poca confianza Muchos grupos de exploradores, caminantes y campistas tienen ejercicios de «confianza» en los que grupos de niños sostienen a un solo niño. Ejercicios como ese serán útiles para tu hijo si está luchando con el hecho de desconfiar en los objetos que por el contrario son lo suficientemente fuertes.

Demasiada confianza La tendencia mayor de los niños es suponer que todo los sostendrá. Por lo general, no están al tanto de su crecimiento, su peso ni las formas de determinar la estabilidad de un objeto. Enseña a tu hijo una regla sencilla: «No confíes en que te va a sostener, a menos que estés seguro de que puede sostener a mamá o a papá».

43 ☾ ¿Y si fracaso?

El fracaso es algo que está en proporción directa a las *consecuencias* que el niño percibe ocurrirán si falla.

Niveles de aceptación, no de perfección

Jamás establezcas un nivel de perfección para tu hijo. No lo alcanzará, para su desaliento y tu frustración. El problema con los patrones de perfección es que están sujetos a interpretación individual y entre mejor tienda a ser el desarrollo, más alto es el nivel de perfección.

Enséñale que consideras muy importante que:

- termine sus tareas una vez comenzadas. Insiste en que termine lo que inicie. Si quiere matricularse para recibir clases de trompeta, asegúrate de tener un acuerdo con él por adelantado acerca de cuánto deberá practicar diariamente y cuán larga debe ser cada lección. En la mayoría de los casos de la vida, es mejor finalizar que ser un perfeccionista.

- ponga su mejor empeño a la tarea. Insiste en que le dé a una actividad su máximo esfuerzo; de lo contrario, jamás sabrá cuán bueno es ni dónde está su talento.

- haga la tarea con alegría. El niño que rezonga cada vez que tiene una tarea que desarrollar o que no encuentra placer en cumplir una meta, se le ha pedido o se le exige demasiado. Anima a tu hijo a divertirse probando los límites de su capacidad.

- esté dispuesto a intentarlo de nuevo. La mayoría de los fracasos pueden ser reversibles. Se vencen con la práctica, con nuevas circunstancias o con mayor desarrollo físico. Nunca dejes que tu hijo crea que porque ha fracasado una vez, jamás podrá tener éxito en esa misma tarea en el futuro. El viejo refrán que dice: «Si el caballo te tira, vuélvete a montar» es bueno para la mayoría de las circunstancias.

- aprenda de los fracasos. Para que un fracaso se convierta en éxito, uno debe aprender de él. ¿Qué se hizo mal? ¿Qué se puede hacer para enmendar la situación? ¿Dónde estuvo la debilidad? ¿Cómo se puede vencer? Analiza un fracaso hasta el punto de decidir qué cambiar o qué remediar, pero no te duermas en un fracaso o des vueltas y vueltas alrededor de él.

Fracaso vs. ser un fracaso Nunca dejes que tu hijo asimile un fracaso hasta el punto de que piense que él es un fracaso. Dile con tanta frecuencia como creas necesario: «El fracaso es el resultado de lo que nosotros hacemos o no hacemos. Los fracasos no son lo que somos».

Nunca dejes que transfiera un fracaso de una tarea a otra situación o circunstancia. Fracasar en un examen de matemáticas no significa fracasar en el de ortografía. Anímalo para que vea sus virtudes y debilidades. Las virtudes son para construir sobre de ellas; las debilidades para superarlas.

Ganar y perder   Enséñale que la vida tiene muchas oportunidades para ganar y perder. Nadie gana siempre; nadie pierde siempre. Lo importante es ser un ganador generoso y un perdedor cortés. Alienta a tu hijo a ser amable hacia lo demás cuando gane y a felicitar al ganador cuando pierda.

Nunca asocies la aprobación de tu hijo con los triunfos. Ganar es el resultado de la competencia, y ligar la aprobación con ganar le dices al niño que se le compara con otro cuando se trata de tu amor. Tu hijo debe estar seguro de que lo amas únicamente *porque* es tu hijo, no importa lo que otros niños puedan o no hacer.

44 ☾ ¿Y si no obedezco?

Un niño siente más seguridad si sabe dónde están los límites admisibles de conducta y qué pasará si los traspasa. En otras palabras, el niño quiere disciplina y dirección.

Dile por anticipado qué puede y que no puede hacer en ciertas situaciones y momentos. Sé claro respecto a cuándo una regla es fija y cuándo temporal (por ejemplo, puedes decirle que es hora de guardar silencio cuando entran a la iglesia. Sin embargo, eso no significa que no podrá cantar los himnos ni responder cuando sea apropiado durante el culto. La mejor forma de decírselo es: «Prohibido hablar durante el sermón».

Define buena conducta No le digas a tu hijo que se porte bien, que juegue tranquilo ni que no corra. Define la buena conducta y la actividad de juego apropiada. Sé específica. Debe escuchar ejemplos concretos.

- Dile: «No corras en la calle ni fuera de las aceras».

- Dile: «No pegues, pellizques ni molestes a la persona que está a tu lado».

- Dile: «No metas la mano en la lata de galletas si no tienes permiso».

Siempre que sea posible, ponle límites que vea o experimente y, además, provéele una alternativa positiva para el mal comportamiento.

- Dile: «Me agrada atenderte cuando no hablo por teléfono, pero no quiero que me interrumpas mientras hablo con alguien. Si es urgente, escríbeme una nota o dame una señal de peligro; de lo contrario, espérame».

- Dile: «Puedes jugar en cualquier parte del patio trasero o del jardín, pero no salgas de nuestro terreno».

- Dile: «Puedes leer tu Biblia o trabajar en tu rompecabezas bíblico durante el sermón, pero no puedes hablar».

Define los términos del castigo No negocies castigos con tu hijo y no dejes que pruebe tus límites en el castigo riguroso. Espera que tus instrucciones se obedezcan la primera vez que las des, no a la quinta que le imploras obediencia. Mantente firme a la regla de que la desobediencia intencional está sujeta a castigo.

Cualquiera que sean las condiciones del castigo que establezcas, asegúrate de que:

- tu hijo conozca los términos del castigo.

- cumplas según lo acordado. No amenaces en

vano. Cumple con lo que dijiste que ibas a hacer.

Entonces, y sólo entonces, tu niño confiará en que eres fiel a tu palabra todo el tiempo. Entonces, y solo entonces, se sentirá seguro de que tus barreras están fijas y no sujetas a caprichos. Si sospecha que se basan en caprichos, hará lo posible por manipularte para que cambies de opinión. Como resultado, se volverá una lucha por la supremacía. Y el triste resultado será que jamás sabrá del todo dónde estás parado, ni dónde está parado él. Tal niño estará inseguro, probando y luchando siempre para descubrir lo que puede contar con seguridad.

45 ☾ ¿Qué dices de mí a mis espaldas?

No es una broma Los niños son tan propensos a los efectos dañinos de los chismes como los adultos. Se sienten inseguros cuando sospechan que alguien habla de ellos a sus espaldas, que se mofan de ellos cuando no están viendo o que cuentan chistes a su costa cuando no están presentes.

Dile siempre la verdad a tu niño (como la percibes) acerca de la vida y acerca de él Nunca le mientas. Las mentirillas blancas pueden convertirse en comportamiento decepcionante y manipulación en él. Las mentiras descaradas a menudo se traducen en una visión distorsionada de la realidad.

Sé siempre franco con él Si tú y tu cónyuge toman una decisión respecto a la salud, seguridad, bienestar, educación o relaciones de tu hijo, comunícale tales decisiones. No dejes que lo adivine. Provéele tantos detalles como puedas y responde a sus preguntas con franqueza.

Nunca discutas los miedos de tu hijo ni cuentes sus secretos con otros Gánate su confianza guardando sus secretos.

Nunca le pidas que guarde secretos de familia que encubren un comportamiento ilegal, inmoral, abusivo o adictivo de otro miembro de la familia Una familia estará tan enferma como los secretos que decida guardar y las mentiras que decida contarse a sí misma y a los demás.

Guarda cualquier comentario crítico o instructivo que le hagas a tu hijo dentro de la relación con él No pienses que porque le has dicho una verdad acerca de él, ahora tienes la libertad para decirla a los demás. Tu crítica le dolerá doblemente si escucha un comentario crítico sobre él que se le dice a otra persona. Sé el maestro y admirador de tu hijo, no su crítico.

¿Cómo puedes asegurarle que no divulgarás chismes o comentarios desagradables acerca de él? Vigilando cuidadosamente tu comportamiento y tus conversaciones acerca de los demás. Tu hijo escuchará con atención lo que dices acerca de otros. Si escucha que dices mentiras, divulgas chismes o revelas secretos confidenciales de otros, sentirá mucho más sospecha acerca de lo que quizás digas a sus espaldas.

Si le has mentido en el pasado o divulgado comentarios negativos acerca de él a otros, confiésale tu comportamiento y pídele perdón. Debes limar las asperezas y seguir adelante. Toma la determinación de ganar la confianza y fe de tu hijo comunicándote en forma sincera, verdadera y positiva con él y acerca de él.

46 ☾ ¿Me mandarías alguna vez lejos de ti?

Si tu hijo hace la pregunta, tómala en serio. He aquí varias formas en las que puede expresar esta pregunta:

- ¿Te arrepientes de que sea tu hijo?

- ¿Desearías que jamás me hubieras dado a luz (o adoptado)?

- ¿Preferirías que fuera alguien más (quizás uno de los hermanos o uno de los hijos que tal parece que es el «favorito»)?

El miedo oculto en esta pregunta tiende a basarse en su autopercepción y su conclusión de que por alguna razón no es «lo suficiente bueno» como para recibir tu amor.

No condiciones el amor ¿Pones condiciones en el amor para tu hijo, diciendo por ejemplo: «Si haces esto o lo otro, mami te dará un abrazo», o «A papi no le gustan los niños que hacen esto y aquello». Si es así, no lo hagas. Tu hijo necesita sentir que lo amas y que siempre lo vas a amar, sin importar cuál sea su conducta.

Necesita sentir que es amado únicamente porque es tu hijo. No porque tienes que amarlo, sino porque eres privilegiado de poder hacerlo y te deleitas en ello.

No compares No compares a tu hijo con otros. Ama su singularidad y deléitate con sus logros, cualidades, habilidades, opiniones e ideas. Tu hijo es su propia persona.

Al aplaudir los logros de un niño, quizás uno que ni siquiera es de la familia, sé sensible al hecho de que al escuchar tus aplausos pueda sentirse rechazado o criticado como parte del proceso. Evita decir: «Estoy seguro de que los padres del ganador lo aman mucho», o «Todo el mundo ama el éxito», o «Ve... eso es lo que sucede cuando luchas de corazón». En lugar de eso dile sencillamente: «Él hizo un buen trabajo», y déjalo así. No compares. No insinúes que esperas un logro similar de tu hijo. Que no se sienta culpable porque no ganó o logró algo.

Sin «favoritos» Muchos niños se quejan que su hermano es el favorito de mamá. Si bien es cierto que puedes tener una mayor comprensión innata de la personalidad de uno de tus hijos más que de otro, o bien puedes darte cuenta de que uno de ellos responde de forma similar a la tuya, puedes tomar la decisión de amar a cada uno de tus hijos por igual.

Ten cuidado de no jugar a los favoritismos. No

defiendas más a uno de tus hijos ni le muestres más afecto que a los otros. Sé justo con ellos. Si sientes falta de amor por alguno de tus hijos, pídele a Dios que te dé un poquito de su amor sobrenatural para él.

Familias mixtas Este asunto de enviar lejos a los hijos o de amar menos es especialmente crítico de manejar para las familias mixtas. Con frecuencia, los hijastros y medio hermanos notan desigualdades. Haz todo lo posible en establecer las mismas reglas para todos los hijos en tu casa. No permitas que un niño, o grupo de niños, sea siempre el centro de atención ni que reciba todas las recompensas o castigos, ni que se involucre en más actividades junto con mamá y papá. Habla de los sentimientos abiertamente. No permitas que la percepción de desigualdades o injusticias se cuezan hasta el punto de hervir.

Habla del asunto Deja que tu hijo sepa, diciéndoselo directamente, que no lo cambiarías por el mundo entero. Abrázalo de vez en cuando y dile: «Estoy abrazando al niño más maravilloso del mundo», o «Estoy muy agradecida de que Dios me haya permitido formar parte de tu vida».

47 ☽ ¿Creceré algún día?

Los días, meses y años se mueven lentamente para un niño. Algunas veces tiende a sentirse estancado en una etapa, y la inseguridad y frustración pueden desarrollar ese resultado en estas preguntas:

- ¿Seré algún día más inteligente?

- ¿Seré algún día mejor en esto?

- ¿Tendré algún día permiso para hacer esto yo solo?

- ¿Me darán algún día permiso para ir?

La frustración se arraiga en la actual insatisfacción con sus capacidades o con el nivel de confianza de los demás. Una madre o un padre sabios reconocerán y atenderán ambas preocupaciones.

No enfatices la incapacidad Un niño escucha: «Eres muy pequeño», «aún no» y «algún día» más veces de las que puede contar. Siempre que sea posible, evita estas respuestas. En su lugar, recalca el nivel de habilidad que se requiere para el hecho o actividad en cuestión, y deja que tu hijo sepa que harás lo que esté a tu alcance para ayudarlo a desarrollar esa habilidad o alcanzar ese punto de madurez.

- Dile: «Para participar en ese juego necesitas alcanzar el piso con tus pies, para que tú mismo te empujes. Ya llegará ese momento».

- Dile: «Antes de que puedas hacer eso, debes saber leer. Sigamos practicando el alfabeto y repitiendo palabras en voz alta y verás cómo en menos de lo que crees podrás leer».

- Dile: «Puedes hacerlo una vez que vea que sepa cómo haces ciertas cosas». Luego menciónale esas cosas.

Siempre que sea posible, enfatiza en los pasos intermedios que pueda o deba dar para alcanzar la meta.

Apunta hacia el progreso Permite que tu hijo sepa de los avances que ha tenido en el pasado y el nivel actual de logros, cuando le hables de cierto grado de capacidad que se requiere para una actividad o hecho futuro. Exprésale que va por buen camino y de que se mueve hacia el nivel en el cual se le concederá el permiso para hacer algo o hacia el éxito de su meta. Evita cambiar de escala a mitad del camino.

Evita establecer niveles de edad No le digas a tu hijo de ocho años que podrá ir o hacer tal o cual cosa cuando tenga doce años. En primer lugar, eso le parecerá una eternidad. En segundo lugar, quizás no esté lo suficientemente maduro cuando cumpla los doce años, o a lo mejor tendrá la madurez necesaria cuando cumpla los diez.

Anticipa su madurez Asegura a tu hijo que algún día será grande y que al llegar a ese momento, será un ser humano brillante, fiel, generoso, amante y saludable. Nunca frustres el sueño de un niño sobre su futuro. Aun cuando creas que nunca será, logrará, ganará o experimentará lo que ambiciona, no mates sus sueños. En lugar de eso, enfoca sus esfuerzos hacia las características que deseas ver en él: gran amor hacia Dios, amor generoso hacia los demás y amor saludable hacia él mismo.

Confianza Mucho de lo que los padres permiten hacer a un hijo se relaciona con el grado de confianza que tienen en él. Exprésale a menudo a tu hijo la importancia que él tiene para ti.

- la sinceridad. Exígele que te diga la verdad y que enfrente la vida de manera franca.

- el buen juicio. Mira cómo está creciendo en habilidad para distinguir lo correcto de lo incorrecto, y tomar sabias decisiones que le traerán beneficios a quienes concierne. Alaba los actos y decisiones que proyecten sabiduría y prudencia.

- la conducta y creencias sólidas. Tenle al tanto de que antes que confíes en él cuando esté lejos de ti, deseas que muestre armonía en su comportamiento y creencias, que trate a todos con respeto y cortesía, que sea capaz de controlar su temperamento y canalizar su ira en conducta productiva y positiva sin importar la provocación, y de que esté dispuesto a aceptar instrucciones, dirección y disciplina.

48 ☾ ¿Y si me muero?

A medida que un niño madura, inevitablemente se enfrentará a la muerte; a menudo con la de un querido abuelo, abuela o mascota. A veces, durante el proceso de pena y dolor, pregunta: «¿También me voy a morir?» o «¿Qué me pasará cuando muera?»

Nunca le mientas respecto a la muerte, diciéndole que nunca morirá ni de que tú no vas a morir. La muerte es una realidad en la existencia de toda persona. Al mismo tiempo puedes darle la *esperanza de vida*, que crecerá para convertirse en adulto sano que vivirá mucho tiempo con una calidad de vida gozosa y un trabajo lleno de satisfacciones.

También puedes darle la esperanza de vida *eterna*: que irá al cielo cuando muera y que allá la cuidarán y amarán. Háblale del cielo. Deja que se imagine la alegría y el gozo de la vida en él.

Háblale acerca de la muerte como un cambio para mejorar. El nuevo cuerpo de tu hijo jamás enfermará ni experimentará dolor alguno. Será capaz de hacer con su cuerpo celestial lo que no puede hacer con el terrenal.

No insistas en el tema Responde a las preguntas de tu hijo acerca de la muerte hasta el punto que quiera una respuesta (no le digas cómo hacer un reloj, si lo que quiere saber es la hora). Para algunos niños puede ser suficiente la respuesta: «No te morirás hoy, de manera que vamos a vivir el día». Para otros puede ser mejor la repuesta: «Irás al cielo y estarás con abuelito, abuelita y Dios hasta que yo me reúna con ustedes allá». Sé receptivo a sus preguntas y satisfácelas lo mejor que puedas, pero no le ofrezcas más información de la que quiere.

Discute enfermedades terminales Si se le ha diagnosticado una seria enfermedad que puede ser terminal, asegúrale que estarás siempre con él, amándolo y estando a su lado sin importar lo que suceda. Habla sobre la situación con tu médico y tu pastor antes de hablar directamente con tu hijo sobre la muerte.

Ayúdale a prepararse para la eternidad Háblale acerca de Dios en términos que pueda entender. Enséñale de un Dios amoroso y eterno que comprende todas las cosas, incluyendo lo que está bien y es bueno para él, y que desea darle todo lo que será para su beneficio y gozo eternos. Explícale que la voluntad de Dios no siempre se hace en la tierra, que el mal y el deseo de la gente a veces se interpone en el camino de lo que Dios desea hacer, pero que su voluntad se hace *siempre* en el cielo. Por eso es puede contar con que el cielo es un lugar maravilloso.

Prepáralo para que viva en una buena relación con Dios, ahora y siempre. Tu hijo es un ser espiritual desde el momento en que nace. Es capaz de alabar y adorar desde mucho antes de que pueda tener el sentido de lo bueno y lo malo. Únete a él en alabanza a Dios. Logra que las primeras canciones que aprenda sean de gratitud y adoración. Permítele crecer sintiéndose bien y seguro con Dios. De esta manera le temerá menos a la muerte.

49 ☾ ¿Me perdonarás siempre?

A menudo, los niños tienen un gran sentido de inseguridad y temor después de hacer, decir y hasta pensar algo que consideran imperdonable. Pueden sentir y, por cierto, sienten culpabilidad.

Alivia la culpa No dejes que tu hijo sufra con esta carga. Aquí presentamos algunas maneras en que puedes ayudarlo a enfrentar la culpa.

Enséñale la diferencia entre un acto sin querer y uno de la voluntad El primero no es pecado. Solamente los actos de la voluntad pueden serlo. No es pecado que tu hijo tropiece con el florero de la tía Sara cuando pasa caminando cerca de la mesa. Sin embargo, está mal si toma ese florero y lo pone en el patio para jugar con él al tiro al blanco con una pelota de béisbol.

Enséñale a deshacerse de la culpa Estar verdaderamente arrepentido por el hecho (y no sólo apenado porque lo descubrieron), pedir perdón y cambiar el comportamiento (como un acto de la voluntad) para hacer lo correcto son asuntos involucrados en despojarse de la culpa.

Enséñale la diferencia entre lamentarse, disculparse y pedir perdón Lamentarse es decir: «Siento que haya sucedido» (que a menudo significa: «Lamento el desorden causado», o «Lamento que me haya descubierto»). Disculparse es decir: «Siento mucho el dolor o daño que les ocasioné». Pedir perdón es decir: «Lo siento mucho. Por favor, perdóname por haberte causado daño». Pedir perdón es el único acto al cual la parte afectada puede verdaderamente responder con su voluntad. Tu hijo debe pedir perdón para permitir que la otra persona lo libere de corazón.

Enséñale a pedir tanto el perdón de Dios, como el de la persona que ofendió, hirió y/o traicionó Dile que cuando pide perdón, Dios siempre lo concede. (Ayúdale a memorizar 1 Juan 1.9: «Si confesamos nuestros pecados, Él [Dios] es fiel y justo para perdonar nuestros pecados, y limpiarnos de toda maldad».)

Si tu hijo pide perdón a otra persona que rehúsa concedérselo, dile que ha hecho todo lo que Dios demanda cuando se pide perdón. Negarse a perdonar es problema de la otra persona, no de tu hijo.

Algunas veces es difícil pedir perdón a alguien. Si te lo pide, acepta ir con tu hijo y así le ayudarás a tener el valor para enfrentar a la persona que ofendió.

Explícale que el perdón no siempre borra las consecuencias Quizás tu hijo esté de verdad arrepentido y ser sinceramente perdonado, pero de todos modos tiene que pagar el florero de la tía Sara que rompió.

Asegúrale que no hay pecado que vaya más allá de la capacidad de perdón de Dios o de tu deseo de perdonarlo Al ser una persona que perdona, le enseñas a tu hijo a perdonar y también lo liberas a buscar perdón.

El perdón franco Cuando tu hijo pida tu perdón, perdónalo franca y rápidamente y sin condiciones.

Anímalo a perdonar con generosidad a quienes piden su perdón. El niño saludable y seguro sabe que está en buena relación con los demás. El perdón es la clave.

50 ☾ Mantén la esperanza de un mejor mañana

Los niños se unen a los adultos al sentir a veces como si el presente fuera el futuro: que las cosas jamás cambiarán, no mejorarán, nunca cesará el dolor ni la infelicidad.

Mantén en tu hijo la esperanza de un mañana brillante.

Casi todo el mundo puede resistir lo que sea si sabe que el dolor, la angustia o la intranquilidad serán «solo por una corta temporada». Sin embargo, cuando comienza a ver toda la vida como si estuviera cargada con momentos de dolor, pronto comenzará a temer a la vida misma. Es probable que desarrolle una autoestima muy pobre y se sienta inadecuado o intranquilo respecto a realizar hasta la tarea más simple. La persona que espera que algo malo, o peor, suceda a cada vuelta que da la vida es alguien que vive en inseguridad.

Visión optimista Sé la voz de optimismo de tu hijo.

Cree en su potencial.

Háblale acerca del futuro que crees posible para él. Sé realista, pero con esperanza. Cree en que vendrá lo mejor. No te ahogues en los problemas del diario vivir. Sé objetivo acerca del problema y ayuda a tu hijo a analizar la situación; traza un curso de acción y comienza a dar pasos para mejorar las circunstancias, aprende el material no aprendido o sana la relación afectada.

La promesa de cambio Enséñale las formas en que la vida cambia, las épocas, por ejemplo, la forma en que tu hijo ha crecido físicamente durante los últimos años. Para un niño un día parece un año y un año una eternidad. Ayúdale a ver los cambios que han ocurrido en su vida y cómo asimismo seguirán ocurriendo.

Exprésale que tú ves que cada día trae nuevas promesas, que consideras cada día como un nuevo comienzo. Regocíjate en sus logros diarios. Cuando los momentos no sean de triunfo, recuérdale los éxitos pasados y vislumbra un futuro lleno de prosperidad. Deja que tu hijo sepa que crees en que «los días felices volverán».

Depresión prolongada Si tu niño parece estar deprimido durante largos períodos, considera la posibilidad de llevarlo a un consejero profesional. Aun los niños pueden experimentar depresión mental. Algunas veces las depresiones prolongadas son señal de enfermedad o deficiencia química.

51 ❲ Fe y oración

Asegúrale a tu hijo que no está abandonado en esta vida, sin importar la soledad que sienta en un momento dado y a pesar de las circunstancias que enfrente. Dile que tiene un Padre celestial que mira cada movimiento, que escucha todos sus llantos y responde a cada una de sus oraciones.

El niño que sinceramente siente que tiene un aliado en Dios, experimenta una fuerza interior que traspasa todas las situaciones y relaciones.

Fe Enséñale a tu hijo tres cosas acerca de Dios.

1. Dios es tu Padre celestial y sabe lo que te pasa Nada escapa de la vista de Dios: ninguna rodilla raspada, una palabra severa del profesor, ni el osito de peluche que se te extravió.

2. Dios es tu Padre amoroso y te cuida Dios se siente triste cuando tu hijo se lastima y se regocija cuando está contento y a salvo.

3. Dios es tu padre eterno y tiene un plan para tu «bienestar eterno» Los deseos de Dios para tu hijo son los más elevados y mejores, más allá de lo que tú, tu hijo o cualquiera pueda imaginar. La volun-

tad de Dios para tu pequeño es a veces limitada por la voluntad de este y por los actos voluntariosos de otras personas, pero Dios desea que el niño lo ame y esté ante su presencia por toda la eternidad.

Estos son fundamentos sobre los cuales se construirá la fe de tu hijo. Establécelos desde su más temprana edad.

Oración Habla con frecuencia respecto a la disposición y accesibilidad de Dios. Enséñale a hablar con Dios, dile que *puede* hablar con Dios respecto a cualquier cosa, en cualquier momento, en cualquier lugar y que Dios escuchará sus oraciones.

¿Para qué orar de lo que Dios ya sabe? Porque Él desea comunicarse con nosotros. Dios quiere desarrollar una relación de caminar y hablar con nosotros. No limites el tiempo de oración de tu hijo a peticiones. Dedica tiempo con tu hijo a la alabanza y la adoración a Dios.

El niño que sabe en su corazón que Dios está a sólo una oración de distancia, tiene acceso inmediato a la seguridad, la confianza y la fuerza sobrenatural de Él.

52 ☾ El poder del amor

No importa cuán seguro se sienta un niño en sí mismo o en su fe de que Dios está de su lado, si jamás va a sentirse completamente confiado a menos que se le demuestre que lo amas con un amor permanente e incondicional.

Gran amor Dile con frecuencia que lo amas. Dile directamente: «Te amo».

Dile que tu amor por él no tiene límites; que fluye sencillamente del hecho de que existe y de que estás en relación con él.

Exprésale que no hay nada que pueda hacer que destruya ni que disminuya tu amor por él. Esto no significa que siempre aprobarás ni aplaudirás sus acciones ni que cubrirás sus errores, pero aun en sus momentos de pecado, fracaso o de error, tú lo amarás.

Gran valor Al fin y al cabo, la felicidad, seguridad y valor de tu hijo no están ligados a las circunstancias. Un niño puede sentirse seguro en su corazón y en su valor como persona, sin importar lo que suceda a su alrededor, ni a manos de sus compañeritos ni enemigos. Su seguridad y valor se fundamentan en la forma en que se siente con respecto a sí mismo, y esto proviene casi por completo de la manera en que percibe tus sentimientos respecto a él. Cuando siente tu amor incondicional, se ama y valora a sí mismo.

Un niño seguro del amor de sus padres experimenta muchos menos momentos de trauma, desasosiego ni miedo aterrador.

Gran potencial Muéstrale expresiones constantes y francas de tu amor. Al hacerlo, le darás la confianza que desesperadamente necesita para ser capaz de arriesgarse en la vida y así poder alcanzar su potencial completo como ser humano.